Idées bien-être

ALIMENTATION VITAMINÉE

CLAUDE SAVONNA

50 fruits et légumes indispensables à la santé

SUCCÈS DU LIVRE

Les vitamines ne sont pas les seules substances infinitésimales indispensables. Minéraux, oligoéléments et acides gras essentiels partagent avec elles la vedette. Leurs points communs : nous en avons absolument besoin, et comme notre corps ne sait pas les fabriquer, nous devons veiller à ce que notre alimentation nous en apporte suffisamment.

À chaque seconde, notre organisme abrite des milliards de réactions biochimiques, qui permettent à notre cœur de battre, à nos poumons de recueillir le souffle vital, à

L'ALIMENTATION VITAMINÉE

Lorsqu'elles furent découvertes, à l'aube du XXᵉ siècle, les chercheurs prirent d'abord les vitamines pour des déchets métaboliques. Ces substances étaient présentes en quantités si infimes dans nos cellules qu'à leurs yeux, elles ne pouvaient avoir de fonction biologique. Les vitamines ont peu à peu livré leurs secrets au cours des décennies suivantes. Aujourd'hui, on sait qu'elles sont indispensables à notre santé. Notre principale source de vitamines, c'est notre assiette, et tout particulièrement les fruits et légumes...

nos muscles de se contracter, à notre digestion de se dérouler sans problème, à nos cellules cérébrales de se connecter... Le corps humain est une machine d'une incroyable complexité, à faire pâlir d'envie n'importe quel ingénieur de talent ! Cependant, comme toute mécanique complexe, il possède ses points de fragilité : ces milliards de réactions font intervenir vitamines, minéraux, oligoéléments et acides gras essentiels. Si ces minuscules

partenaires viennent à manquer, la machine se fatigue, elle fonctionne moins bien. À la longue, de véritables pathologies peuvent se manifester.

Tout le monde connaît le cas du scorbut, qui décimait les marins au cours des longues traversées d'antan. Au bout de quelques semaines d'un régime sans produits frais, notamment les fruits et les légumes, les équipages des siècles passés perdaient leurs dents, avaient des hémorragies, attrapaient des maladies infectieuses...

Il suffisait, à la première escale, de leur faire manger des citrons pour que les symptômes refluent. Leurs troubles étaient dus à une carence grave en vitamine C.

Première victoire

Aujourd'hui, le scorbut a pratiquement disparu de la surface du globe. C'est la première victoire des vitamines sur les maladies !

C'est un biochimiste américain, Casimir Funk, qui donna leur nom aux vitamines vers 1910. Comme elles appartiennent à la classe des amines et qu'elles sont indispensables à la vie, il associa ces deux notions. Si toutes les vitamines sont différentes, dans leur mode de fonctionnement, leur rôle et même leur structure chimique, elles ont aussi des points de ressemblance : elles n'apportent pas d'énergie à l'organisme, elles ont des fonctions spécifiques et ne sont pas interchangeables.

Corollaire : il faut manger une nourriture fraîche et variée pour être sûr de recevoir toutes les vitamines dont on a besoin. Et comme elles sont présentes surtout dans les fruits et légumes, nous devons les inviter chaque jour, à chaque repas.

Oligoéléments et acides gras

Comme les vitamines, les oligoéléments sont présents en quantité infinitésimale dans notre organisme. Ils sont indispensables aux réactions biochimiques qui entretiennent la vie, et sont présents dans notre alimentation. Ce sont des minéraux ou des métaux : cuivre, fer, magnésium, potassium, zinc, calcium, sélénium... Quant aux acides gras essentiels, ce sont des composants des corps gras, indispensables notamment au fonctionnement du cerveau et du système nerveux.

Carence ou surdosage ?

Certaines vitamines, comme la vitamine K, ne posent pas de problèmes : notre alimentation nous l'apporte en quantité plus que suffisante, les carences sont rarissimes, la supplémentation est presque superflue.

D'autres, comme la vitamine C, nous manquent dès que nous ne mangeons pas assez de fruits et légumes frais. Heureusement, on peut la consommer sous forme de comprimés ou de sachets car il n'y a aucun risque de surdosage.

Cependant, certaines sont plus fragiles : nous en manquons parfois, mais les supplémentations sont délicates car leur excès est aussi néfaste que leur carence.

Heureusement, la parade est facile : encore une fois, il suffit de manger frais, varié et vitaminé. C'est le meilleur moyen de ne manquer d'aucune vitamine, d'aucun oligoélément, d'aucun acide gras essentiel, sans pour autant courir de risque de surdosage.

Changer nos habitudes

Enfants, adolescents, adultes, personnes âgées, nous devrions tous veiller à cet apport nutritionnel tout au long de notre vie. Certaines situations augmentent nos besoins en nutriments essentiels : le stress, le sport intensif, la grossesse, les régimes minceur, le tabagisme, l'alcoolisme... Il faut alors veiller à manger encore plus vitaminé que d'habitude.

Les pouvoirs publics ne s'y trompent pas lorsqu'ils nous enjoignent de manger au moins dix fruits et légumes chaque jour, campagne publicitaire géante à l'appui. Ça semble beaucoup, mais ça ne l'est pas.

Il suffit de changer peu à peu nos habitudes alimentaires, de découvrir les mille saveurs des fruits et légumes frais, d'inventer des salades inouïes, de cuisiner des légumes oubliés... Ces merveilles savent aussi nous protéger contre les effets du vieillissement. C'est dire si elles nous aiment ! Apprenons à les aimer aussi...

Sommaire

FRAGILES VITAMINES

ELLES N'AIMENT NI L'AIR,
NI LA LUMIÈRE, NI LA CHALEUR…
Pour ne pas les abîmer, il faut faire
attention au choix des produits,
à la façon de les conserver,
à l'art de les cuisiner…

QUELLES VITAMINES POUR QUELLES FONCTIONS VITALES ?

Lorsqu'une vitamine vient à manquer, aucune autre ne peut la remplacer. Ce sont des substances très soucieuses de leur rôle et de leur prérogative ! Il en est de même des oligoéléments et des acides gras essentiels. Voici les principales fonctions de ces petites merveilles.

■ Les vitamines

- La vitamine A et le bêta-carotène sont des antioxydants, qui nous protègent des effets des radicaux libres. Tous deux sont indispensables à la peau et aux yeux.
- La vitamine C est aussi antioxydante. Elle prévient la fatigue et soutient le système immunitaire. Elle améliore le fonctionnement du système nerveux et favorise l'absorption d'autres nutriments.
- La vitamine E est la plus antioxydante de toutes. Elle nous protège de la pollution et améliore la fertilité ainsi que le fonctionnement cérébral.
- Les vitamines du groupe B ont une action sur le système nerveux, la peau, la circulation sanguine, l'immunité...
- La vitamine D est essentielle pour les enfants puisqu'elle favorise la solidité des os.

■ Les minéraux et les oligos

- Le magnésium est indispensable au passage de l'influx nerveux entre les cellules.
- Sans fer, nous manquons d'hémoglobine dans le sang.
- Le sélénium est un antioxydant majeur qui protège les cellules contre les effets du vieillissement.
- Le zinc participe à la sécrétion de nombreuses hormones et stimule l'immunité.
- Le cuivre est un agent anti-infectieux puissant et un antioxydant secondaire.
- Le chrome est indispensable au métabolisme du sucre.
- L'iode est essentiel au bon fonctionnement de la glande thyroïde, qui orchestre une bonne partie de notre système hormonal.

- Le calcium, indispensable à la qualité des os, agit aussi sur le cerveau et le système nerveux.
- Les carences en manganèse provoquent des manifestations allergiques.

■ Les acides gras essentiels

La principale fonction des acides gras essentiels est de nourrir les parois de nos cellules. Toutes nos cellules ! Autant dire qu'ils interviennent dans toutes nos fonctions vitales. Lorsque les parois cellulaires en manquent, elles se rigidifient et les échanges entre les cellules se font moins bien. Notre cerveau, notamment, est grand consommateur d'acides gras essentiels.

■ Attention, fragiles !

Chaque nutriment possède ses fragilités propres. Mais, globalement, vitamines, minéraux et acides gras craignent tous, plus ou moins, la lumière, l'eau, l'air... Et surtout, la plupart des nutriments sont sensibles à la chaleur. Les cuissons très chaudes (bouillon, friture) les détruisent, ainsi que les conservations trop prolongées.

Vive les fibres alimentaires !

Les végétaux contiennent, en plus des nutriments assimilables, des éléments qui ne le sont pas. Ils n'en sont pas moins intéressants pour notre équilibre. Les fibres alimentaires traversent le tube digestif en piégeant au passage des substances indésirables, comme le cholestérol. Arrivées dans l'intestin, elles augmentent le volume des selles qu'elles rendent plus molles en se gonflant d'eau, évitant ainsi la constipation. Les fibres végétales auraient même une action préventive contre le cancer du côlon.

COMMENT CHOISIR FRUITS ET LÉGUMES ?

Lorsqu'ils sont frais, les fruits comme les légumes sont fermes. Même les fruits qui se mangent bien mûrs, comme les figues, ou les pêches : leur peau doit conserver une apparence de fermeté même si leur chair est plus molle.

■ Tavelures et formes biscornues
Les éventuelles tavelures ou irrégularités de forme ne sont pas un signe de mauvaise qualité. Il vaut mieux une tomate biscornue, mais rouge et ferme, qu'une tomate ronde, régulière, mais pâle et molle. La première vient d'un petit producteur, qui arrose moins ses plantations et utilise moins d'engrais ; la seconde d'une production intensive où les légumes poussent à marche forcée. La première a plus de saveur que la seconde, mais aussi plus de vitamines !

■ Le plein de nutriments
Certains nutriments signalent leur présence par la couleur qu'ils donnent aux végétaux. C'est pourquoi il faut choisir les fruits et légumes orangés bien vifs. Carottes, abricots, potirons... sont d'autant plus riches en bêta-carotène qu'ils sont colorés. Il en est de même pour les légumes verts : plus leur couleur est intense, plus ils sont riches en nutriments. Choisissez donc vos choux, vos épinards et vos salades bien verts, mais aussi fermes et croquants car ils perdent rapidement leur vitamine C en mollissant.

■ Attention aux aliments irradiés !
Certains fruits et légumes sont irradiés afin d'améliorer leur conservation. La loi autorise ainsi l'irradiation des fraises, de l'ail, de l'oignon... Ils sont soumis à un rayonnement ionisant qui freine la prolifération des bactéries, ralentissant ainsi le pourrissement et le mûrissement. Les avis sont partagés sur l'innocuité de ce procédé. La loi oblige les producteurs à mentionner l'irradiation sur les étiquettes. Lisez-les bien !

LA BIO GARANTIT-ELLE LA TENEUR EN VITAMINES ?

En avril 2001, la prestigieuse revue scientifique *Nature* publiait enfin un article affirmant la supériorité des fruits et légumes bio ! L'étude visait à comparer les rendements de trois parcelles de pommiers golden : l'une cultivée aux engrais chimiques, une autre selon les règles de l'agriculture biologique, la troisième avec un mélange des deux (ce que l'on appelle "agriculture raisonnée").

Étaient mesurés la rentabilité, l'efficacité, l'impact sur l'environnement et la saveur des fruits. Grande gagnante : la bio !

■Plus de nutriments

Seul était laissé à l'écart l'aspect nutritionnel de la question. Le Pr. Henri Joyeux, cancérologue de renom, y répond : "Les nutriments essentiels sont présents en quantité supérieure dans les aliments bio", affirme-t-il.

Cette constatation fait suite à une étude réalisée sous l'égide de l'INSERM (Institut National de la Santé et de la Recherche Médicale) par un laboratoire du centre anticancer du Languedoc-Roussillon.

■De vrais facteurs de santé…

Tout ceci pour dire qu'aujourd'hui, les instances les plus officielles de la science actuelle sont enfin d'accord. Les fruits et légumes bio sont moins nuisibles pour la santé que ceux issus de l'agriculture intensive car ils contiennent beaucoup moins de substances nocives : engrais, pesticides, nitrates…

Ils sont aussi de vrais facteurs de santé puisqu'ils apportent à l'organisme davantage de nutriments essentiels : vitamines, minéraux, oligoéléments… Certes, ils sont plus chers, mais le jeu en vaut la chandelle, ne serait-ce que de temps en temps.

PLUS DE VITAMINES DANS LES FRUITS ET LÉGUMES CRUS ?

La doctoresse suisse Catherine Kousmine affirmait que l'explosion des cancers et des maladies dégénératives a une cause principale : les erreurs alimentaires.

Elle attribuait notamment ces maladies à la baisse de consommation des fruits et légumes frais et des huiles de première pression à froid, parallèlement à la hausse de consommation de viande et de graisses saturées. Elle préconisait des traitements fondés uniquement sur une réforme de l'alimentation, et conseillait notamment de manger davantage de végétaux et d'huiles crus. Manger des fruits et légumes crus est donc une excellente façon de remettre votre alimentation sur les rails !

■Salades de fruits et de légumes…

Dans les salades, vous mangez des végétaux crus, qui ont conservé l'essentiel de leurs nutriments, surtout si vous les achetez bio et si vous ne les conservez pas longtemps au frigo ! Leurs fibres sont également intactes.

Assaisonnez-les avec des huiles crues. Là encore, préférez-les bio, et de première pression à froid (voir p. 29 et 30) et variez-les pour profiter de leurs bienfaits.

De leur côté, les fruits frais et crus vous apporteront des sucres très énergétiques, sans avoir les inconvénients des sucres raffinés (sucre blanc, sucreries…).

Fruits et légumes crus provoquent une impression rapide de satiété, ce qui vous empêche, ensuite, de vous ruer sur des plats plus lourds et plus caloriques. La dose généralement conseillée : 100 à 200 g de crudités à chaque repas, et deux fruits par jour. Si vous ne supportez pas les fruits à la fin du repas, vous pouvez les consommer comme en-cas, le matin vers 11 h et l'après-midi vers 17 h.

RESTE-T-IL DES VITAMINES DANS LES CUITS SOUS VIDE ?

Ces végétaux sont conditionnés crus, mis sous sachet plastique et cuits ensuite dans leur emballage. Il ne faut pas confondre ces "cuisinés sous vide" avec les légumes cuits et emballés ensuite. Les premiers conservent leurs vitamines, pas les seconds.

■Les cinq gammes

On appelle les fruits et légumes en conserve "produits de la deuxième gamme", la première étant les produits frais. La troisième gamme, ce sont les surgelés. La quatrième, ce sont les légumes frais crus, épluchés, lavés et mis en sachets, à consommer tels quels (salades, carottes râpées...). Les produits de la cinquième gamme, ce sont les légumes cuits sous vide et vendus au rayon frais. Ces produits ont des dates limite de consommation qu'il faut respecter.

■Le plein de nutriments

Qu'ils soient mis sous vide avant cuisson permet de les faire cuire à une température plus basse qu'à l'air libre (65 à 85°) pour de simples raisons de physique de base. Ils conservent donc assez bien les vitamines hydrosolubles et celles qui sont rapidement altérées par la chaleur (vitamine C, vitamines du groupe B...). Ils conservent aussi la plupart des oligoéléments.

Tous ces nutriments restent dans la pochette plastique au moment de la cuisson. Ne jetez pas le liquide dans lequel ils baignent lorsque vous ouvrez l'emballage et incorporez-le à votre préparation.

■Ne les faites pas recuire !

Contentez-vous de les faire réchauffer légèrement au bain-marie, ou ajoutez-les en fin de cuisson à un plat plus élaboré ou à une sauce. Mais ne les faites pas recuire : ils perdraient alors les précieux nutriments que leur mode de préparation avait judicieusement préservés.

ET DANS LES SURGELÉS ?

Ce n'est pas parce qu'un aliment a l'aspect d'un bloc de glace qu'il est surgelé. Pour préserver à la fois la structure de l'aliment, son contenu nutritionnel et la sécurité alimentaire (absence de micro-organismes), il faut que la surgélation soit à la fois rapide et intense.

Les congélateurs ménagers 3 étoiles (***) produisent habituellement une température de −18° à −20°. C'est suffisant pour conserver des produits surgelés de manière industrielle, mais pas pour surgeler vous-même.

■Pour surgeler vous-même

Si vous voulez surgeler des fruits ou des légumes, il vous faut un congélateur 4 étoiles (****), réglé sur −30° au moins. Cela permet de conserver une grande partie des nutriments. Selon le Pr. Joyeux : "La surgélation ne détruit que 30 % de la vitamine C des haricots verts." Il faut bien sûr ajouter à cette déperdition celle de la préparation et de la cuisson (voir p. 19 à 21). En outre, plus votre produit est de bonne qualité au départ, plus il est frais et riche en vitamines, plus il en contiendra une fois dégelé, qu'il s'agisse d'un surgelé industriel ou d'un légume que vous avez surgelé vous-même !

■Petits ou gros cristaux ?

Lorsque la surgélation est rapide, la structure des aliments est préservée car l'eau qu'ils contiennent forme de petits cristaux qui n'endommagent pas les cellules végétales. Plus le refroidissement est progressif, plus les cristaux sont gros et plus les cellules sont abîmées. Lorsque l'aliment sera ensuite dégelé et cuisiné, il perdra d'autant plus vite ses nutriments que ses cellules sont abîmées.

C'est pourquoi les surgelés industriels sont les plus fiables, à condition d'être conservés dans de bonnes conditions : au moins −18°, et pas au-delà de la date conseillée.

LÉGUMES ET FRUITS FRAIS : COMMENT LES CONSERVER ?

Les légumes et les fruits frais séjournent parfois plusieurs jours dans votre frigo. S'ils n'ont pas été ramassés au jardin, il est probable qu'il s'est déjà écoulé du temps depuis leur cueillette.

En outre, les végétaux produits de manière industrielle sont cueillis avant d'être tout à fait mûrs, ce qui les rend plus faciles à conditionner et à transporter. Ils mûrissent donc loin de leur terre ou de leur branche, au cours de ces manipulations. Alors évitez d'accroître ce temps déjà long.

■ Au sec et dans le noir

Premier ennemi des vitamines : la lumière. Évitez de laisser vos légumes à l'air libre. Comme ils craignent aussi l'humidité et la chaleur, le lieu idéal pour les conserver est soit le réfrigérateur (dans le tiroir du bas pour qu'ils n'aient pas trop froid), soit un placard bien sec.

Un exemple : les haricots verts perdent en une journée 10 % de leur vitamine C s'ils sont gardés au frais (moins de 4°) et de 20 % à 35 % s'ils sont conservés à l'air libre et à température ambiante.

Après cuisson, mieux vaut ne pas garder trop longtemps vos plats cuisinés. Ils continuent à perdre les vitamines qui leur restent à chaque fois que vous réchauffez votre plat.

■ Les légumes

Carottes, navets, mais aussi radis, betteraves... se conservent bien au réfrigérateur. Mettez-les dans le tiroir du bas en prenant bien soin de vérifier qu'il n'est pas humide afin que les légumes ne risquent pas de moisir. Vous pouvez les y conserver une bonne semaine.

Les courges et potirons se conservent mieux s'ils sont entiers. Les choux à fleurs (choux-fleurs, brocolis...) se gardent moins longtemps que les choux à feuilles.

Les salades, elles, peuvent être lavées avant d'être mises au frais. Ensuite, enveloppez-les dans un linge propre et légèrement humide, et vous pourrez les conserver plusieurs jours.

C'est une exception qui confirme la règle puisque, en général, il vaut mieux ne pas laver les végétaux avant de les mettre au frais.

■ Les fruits

Les pommes se gardent deux semaines, dans un endroit frais et sec, sans se vider de leurs nutriments.

Les poires aussi se conservent bien, mais un peu moins longtemps (une semaine maximum). Pêches et abricots ne résistent pas plus de trois ou quatre jours dans le tiroir du bas du frigo.

D'autres, notamment les fruits rouges, sont plus fragiles : deux jours au plus, au frigo, pour les fraises et les framboises.

Les fruits exotiques ont déjà subi des jours, voire des semaines de traitements divers depuis leur cueillette. Choisissez-les mûrs à point et mangez-les très rapidement.

Conserves et confitures

Les conserves du commerce protègent les vitamines des fruits et des légumes à condition de consommer le jus de cuisson. Préférez les produits appertisés (conserves en bocaux de verre) : ils sont cuits à très haute température mais pendant un temps très bref. Pour les fruits, mieux vaut les compotes que les confitures. Elles sont moins sucrées (moins de calories, moins de caries...) et surtout elles cuisent moins longtemps, ce qui préserve un peu mieux les vitamines.

COMMENT LES PRÉPARER ?

■ Dans la peau des fruits

Les nutriments (vitamines et minéraux) sont souvent concentrés dans la peau du fruit. C'est aussi là que se stockent les produits chimiques nocifs. Il vaut donc mieux manger les fruits avec leur peau, mais achetez-les bio. Ne les lavez pas avant de les mettre au frais, mais juste avant de les consommer. Évitez de conserver des fruits déjà épluchés : le contact avec l'air et la lumière les altère rapidement. Moins vous les manipulerez avant de les manger, plus vous aurez des chances de consommer des végétaux riches en nutriments. Pensez-y !

■ Ne les faites jamais tremper

Évitez surtout de les faire tremper. Contentez-vous de les rincer sous l'eau courante. Même les champignons, souvent pleins de terre, ne doivent pas séjourner plus d'une ou deux minutes dans l'eau. Rincez les légumes racine avant de les éplucher, vous pourrez les peler plus légèrement. Côté fruits, hormis ceux qui ont une peau très épaisse (orange, banane...), évitez de les peler.

■ L'art de l'épluchage

Il faut toujours les peler dans le sens de la pousse. Une pomme s'épluche depuis le pédoncule vers le bas, une carotte depuis les fanes vers la pointe. Cela permet aux végétaux de s'oxyder moins rapidement. Ils noircissent moins vite et leurs nutriments sont moins altérés par le contact avec l'air et la lumière.

Pour les mêmes raisons, ne conservez pas des végétaux déjà découpés ou râpés. Faites-les cuire ou consommez-les tout de suite pour éviter l'oxydation.

Si possible, épluchez vos fruits et légumes après la cuisson. Un exemple : une pomme de terre bouillie avec sa peau conserve 90 % de sa vitamine C, alors qu'elle en perd l'essentiel si on la fait cuire sans la peau.

QUELLES CUISSONS PRÉSERVENT LES VITAMINES ?

Une fois bien choisis les légumes et les fruits, une fois qu'ils ont été conservés dans les conditions optimales et préparés avec soin, il leur reste une étape délicate à franchir pour arriver dans nos assiettes : la cuisson. En effet, certains modes de cuisson agressent les aliments. N'oubliez pas que les vitamines, les minéraux et les oligoéléments sont des petites choses fragiles que la chaleur abîme très rapidement.

■ À chaque cuisson ses vertus

Certaines vitamines hydrosolubles (solubles dans l'eau) s'échappent dès qu'un aliment est plongé dans l'eau chaude. Plus ils y séjournent, plus la fuite est importante. Les vitamines liposolubles (solubles dans les corps gras) préfèrent fuir dans l'huile de friture.

Tant et si bien que parfois, il ne reste pas beaucoup de nutriments dans les végétaux que nous consommons après cuisson.

Pire encore : certaines cuissons, comme les grillades au feu de bois, créent des associations de molécules, produisant des substances cancérigènes qui n'existent pas à l'origine.

Il faut donc encore se préoccuper d'une chose importante : choisir des modes de cuisson adaptés, qui respectent autant que possible la structure des végétaux et leur richesse nutritionnelle.

■ La cuisson vapeur

C'est l'un des modes de cuisson les plus sains, à condition de s'en tenir à la vapeur douce. Il faut pour cela que la température de l'eau, sous les aliments, reste toujours en dessous de 100°. Vous pouvez vous procurer un cuiseur à vapeur : c'est une grande marmite surmontée d'un panier de cuisson.

Vous pouvez aussi utiliser un couscoussier. L'aliment est bien respecté dans sa composition. Les vitamines, qui sont enfermées à l'intérieur des cellules, bien protégées, ne sont pas emportées par la vapeur et restent dans l'aliment. En revanche, certaines substances sont entraînées et se retrouvent dans l'eau de cuisson. C'est le cas notamment des graisses. Vous pouvez ajouter des huiles crues après la cuisson.

■ La cuisson à l'étouffée

C'est une cuisson très simple à réaliser. Il suffit de mettre les aliments dans un récipient dont le fond ne colle pas, sans gras ni eau, avec un couvercle pour que la vapeur reste à l'intérieur et humidifie ce qui cuit. Puis vous laissez cuire à tout petit feu (environ 60°). C'est un mode de cuisson qui respecte les aliments si on ne le fait pas durer trop longtemps : saveurs, vitamines, minéraux... sont préservés.

La cuisson à l'étouffée se faisant à feu doux, les produits ne sont pas agressés par la température, et comme on consomme tout le jus produit en cours de cuisson, rien ne se perd. Vous pouvez ajouter aux légumes des huiles végétales crues en fin de cuisson pour rehausser leur saveur. Vous pouvez aussi faire cuire des fruits en compote de cette façon, sans qu'il soit besoin d'y ajouter du sucre. En revanche, vous pouvez jouer à loisir avec les épices et les aromates.

La cuisson à l'eau

Les fruits et légumes bouillis sont très digestes et n'accumulent pas les matières grasses (contrairement à la friture). Mais toutes les vitamines hydrosolubles fuient dans l'eau de cuisson. Résultat : certains légumes sont vidés de leur contenu nutritionnel lorsqu'ils se retrouvent dans nos assiettes.

Si vous aimez les aliments bouillis, faites-les cuire lentement, à basse température, dans une petite quantité d'eau, et gardez toujours cette eau de cuisson pour confectionner des soupes, des potages, de fonds de sauce légère...

À fuir absolument

- Les grillades au feu de bois cuisent à très forte température, et le contact avec les flammes produit des molécules très néfastes, notamment cancérigènes.
- Les fritures provoquent un échange entre l'eau contenue dans les légumes et l'huile de cuisson. Les premiers se gorgent d'huile, laquelle a perdu ses acides gras à cause de la température.
- Les cuissons à four très chaud (plus de 180 degrés) sont extrêmement destructrices pour tous les nutriments.

La cuisson à l'autocuiseur

Contrairement à une idée répandue, elle n'est pas si mauvaise pour le contenu nutritionnel des aliments, mais à une condition : qu'elle ne dure pas trop longtemps.

Certes, à l'intérieur de la cocotte, on atteint des températures élevées (140°), mais si la cuisson est très courte, la perte vitaminique est limitée dans le temps.

Surtout, elle se fait dans très peu de liquide, et vous consommez le jus de cuisson. Évitez d'y mettre trop de matières grasses (la chaleur détruit certains acides gras essentiels de manière irréversible) et ne la prolongez jamais au-delà du minimum nécessaire.

La cuisson à four tiède

Lorsqu'ils sont cuits dans un four pas trop chaud (moins de 120°), fruits et légumes ne sont pas trop agressés par la chaleur ambiante. Il n'est pas forcément nécessaire de rajouter des matières grasses. Le résultat est donc tout à fait probant, tant sur le plan de la saveur que sur celui de la préservation des nutriments. Il existe aussi des plats en terre spéciaux qui permettent de cuire au four à très basse température (moins de 100°).

Le cuisson au four à micro-ondes

La cuisson au micro-ondes est pratique, car très rapide. Elle évite la perte nutritionnelle puisque les végétaux cuisent par agitation moléculaire, sans avoir besoin d'être plongés dans l'eau ni dans l'huile.

Toutefois, le contact des aliments avec les hyperfréquences provoque des modifications moléculaires dont on ne sait pas encore mesurer l'importance.

Certaines études montrent que les protéines végétales, par exemple, sont beaucoup plus difficilement métabolisées par l'organisme après un passage au micro-ondes.

Pour l'heure, les données sont encore trop peu nombreuses pour que l'on puisse vraiment mesurer les méfaits de ce mode de cuisson. Dans le doute, le plus sage est de s'en abstenir ou, au moins, de le limiter aux moments d'urgence!

Vive la soupe !

DANS UNE SOUPE, toutes les vitamines sont
encore présentes puisqu'on consomme l'eau
de cuisson. À condition bien sûr de ne pas
avoir fait tremper les légumes, de ne pas
les avoir coupés en trop petits morceaux
et de ne pas les avoir fait cuire à gros bouillons.
Grâce à ces précautions simples, tous les
nutriments qui ont fui dans l'eau de cuisson
se retrouvent au fond de votre bol !
La soupe n'est jamais monotone, puisqu'on
peut varier les saveurs à l'infini en mélangeant
les légumes, les herbes aromatiques, les épices.

HUILES, ÉPICES ET AROMATES

POUR CUISINER SAIN ET VITAMINÉ
SANS PERDRE EN GOÛT :
les bonnes huiles, les aromates santé,
les épices et les vinaigres...

HERBES AROMATIQUES : PEUT-ON EN ABUSER ?

Sariette ou basilic, anis étoilé ou graines de fenouil, estragon ou coriandre... les herbes aromatiques ont des saveurs d'une infinie subtilité. N'hésitez pas à les utiliser pour rehausser le goût de vos plats de légumes, de vos salades, de vos préparations à base de fruits. Amusez-vous, inventez, mélangez les saveurs, osez... Elles ont, en plus, d'étonnantes vertus médicinales connues depuis des millénaires. Aujourd'hui, elles ont déserté les vitrines des apothicaires pour gagner les rayons des supermarchés. C'est le moment de les redécouvrir...

■ La ciboulette, anticholestérol
Elle est délicieuse dans les salades ou dans les plats chauds (après la cuisson). Elle réduit les fermentations intestinales et diminue le taux de cholestérol.

■ Le romarin, stimulant
On ne compte plus ses vertus : il est antiseptique, digestif, stimulant, calmant des voies

Si vous voulez manger des herbes aromatiques de bonne qualité, cultivez-les vous-même. Au jardin, sur un balcon, ou simplement dans un bac sur le rebord d'une fenêtre. Semez vos graines, arrosez un peu, et vous ne tarderez pas à récolter...

Conseils pratiques

REGARDEZ VOS HERBES : cela vous renseignera sur la façon de les cuisiner. Les herbes aromatiques tendres ont des principes actifs qui résistent mal à la chaleur.
On recommande de les utiliser crues dans les salades ou de les ajouter en toute fin de cuisson. C'est le cas du basilic, de la menthe, de l'aneth, de la coriandre... Les aromatiques plus ligneuses, qui ont des branches sèches, ont besoin d'être chauffées pour dégager leur arôme. C'est le cas du thym et de la sarriette.

■ Le laurier, antiseptique
Jadis, on le mettait dans les marinades pour éviter la prolifération des microbes. C'est un antiseptique majeur, à rajouter dans les plats cuits.

■ Le thym, antioxydant
Il contient des antioxydants qui ralentissent le vieillissement. Vous pouvez utiliser ses fines feuilles crues dans les salades, ou le faire cuire dans vos plats mijotés.

■ Le persil, riche en vitamine C
C'est une des sources essentielles de vitamine C. Abusez du persil cru dans tous vos plats de légumes. Il est stimulant et améliore l'état de la peau.

respiratoires irritées... À mettre en début de cuisson dans les légumes à l'étouffée, les bouillons, les marinades...

■ La sauge, contre la fièvre
Elle est antiseptique, tonifiante, et fait tomber la fièvre. Elle peut s'utiliser crue, finement hachée, dans les salades, ou cuite dans les soupes ou légumes à l'étouffée.

■ Le basilic, digestif
C'est l'aromate de la digestion : il agit contre les flatulences, les crampes d'estomac, les indigestions... Utilisez-le cru dans les salades, ou sur les plats en fin de cuisson.

ÉPICES : DE VRAIES VERTUS ?

Ce sont des bourgeons, des écorces, des baies, des racines... Il y a quelques siècles, de véritables fortunes se sont bâties sur elles. Des navires faisaient le tour du monde pour revenir en Europe, les flancs chargés de leur soleil ! Elles constituaient une vraie monnaie d'échange. Aujourd'hui, on les trouve un peu partout. Elles ont, comme les herbes aromatiques, des vertus médicinales à la hauteur de leurs saveurs chaudes, piquantes, musquées... Attention cependant à ne pas en abuser : il faut les manier avec délicatesse pour qu'elles n'envahissent pas les préparations culinaires.

■ Le safran

Le vrai safran se présente en filaments. Ce sont les stigmates d'un crocus cultivé au Maroc ou en Espagne. Il a une saveur chaude qui se marie bien avec les légumes à chair un peu fade et farineuse.
Côté santé, il est tonifiant et digestif. Il calme les douleurs gastriques et intestinales. Il est aussi légèrement apaisant et, dit-on, aphrodisiaque !

■ La noix de muscade

C'est l'amande de son fruit que l'on consomme râpée. Difficile d'imaginer une purée de pommes de terre sans une pincée de noix muscade ! Normal : elle facilite la digestion des féculents. Mais elle fait aussi merveille dans les autres purées de légumes. Elle soulage également l'aérophagie et améliore les fonctions cérébrales.

■ Le gingembre

On peut consommer cette racine comme le poivre : soit blanc (privé de son écorce), soit gris (pas encore épluché). Le premier est plus piquant et moins savoureux que le second. Il s'ajoute aux plats soit râpé, soit broyé, soit encore coupé en fines lamelles s'il est bien frais.
Dans les pays d'Asie et du Moyen-Orient, on le dit aphrodisiaque. Une chose est sûre : il est tonifiant et combat la fatigue physique et mentale.

■ Le curcuma

Cette épice indienne possède des vertus anti-inflammatoires qui ont été confirmées par des recherches récentes. Cette action est due à la présence de curcumine. La médecine traditionnelle indienne l'utilise contre l'arthrite. Il est délicieux dans les légumes à l'étouffée, surtout si on les accompagne de riz blanc.

Conseils pratiques

On trouve sur le marché de bonnes épices et… des moins bonnes ! Mieux vaut les acheter chez un vendeur spécialisé ou dans un magasin de produits bio. Faites confiance à votre nez : avant d'acheter, humez, reniflez, comparez… Elles auront plus de saveur si vous les achetez entières (noix de muscade, gingembre, cannelle…) et si vous les râpez ou les écrasez dans un mortier au moment de les utiliser. Conservez-les dans un bocal bien fermé, à l'abri de l'humidité, de la chaleur et de la lumière.

■ La cannelle

Elle est tirée de l'écorce d'un arbre de la famille du laurier. Elle se marie aussi bien avec les fruits (pommes, poires…) qu'avec les légumes (courgettes, pommes de terre, carottes…). Elle fait partie des ingrédients du curry indien, et on la trouve souvent dans les plats d'Afrique du Nord. Elle est antiseptique et combat les infections.

■ Le cumin

Dans les pays nordiques, on le consomme en grains. Dans les pays méditerranéens, on le réduit en poudre pour l'ajouter aux plats. Il fait aussi partie du curry indien et de la cuisine maghrébine. Dans l'Égypte ancienne, on l'utilisait pour momifier les morts. Aujourd'hui, c'est plutôt pour faciliter la digestion !

HUILE D'OLIVE : EST-CE LA MEILLEURE ?

Elle embaume, elle parfume les salades, donne du relief aux plats mijotés, réveille les papilles endormies par l'hiver... L'huile d'olive est aussi un véritable médicament grâce à sa composition exceptionnelle en bons acides gras essentiels. Elle aide à réguler le taux de cholestérol sanguin, elle prévient les maladies cardio-vasculaires, elle améliore le transit, elle renforce les ongles et les cheveux... Invitez-la souvent à votre table, car elle contient aussi la précieuse vitamine E qui protège les cellules contre le vieillissement.

Comme toutes les huiles, celle que l'on tire de l'olive est composée en presque totalité d'acides gras. Il en est des bons et des mauvais : les premiers nourrissent les parois cellulaires sans encombrer les artères, à la différence des seconds. L'huile d'olive contient justement de grandes quantités d'acide gras linoléique, un acide gras mono-insaturé bon pour la santé.

La saveur de l'huile d'olive varie selon sa provenance. On trouve aujourd'hui des boutiques qui proposent des crus comme un caviste des vins. Selon qu'elle vient de Grèce ou de Sicile, du Maroc ou d'Andalousie, de Toscane ou du Sud tunisien, l'huile d'olive est plus ou moins sombre, âcre, douce, épaisse...

Conseils pratiques

UNE HUILE D'OLIVE de bonne qualité, doit absolument être libellée "extra vierge, de première pression à froid". Lisez donc bien les étiquettes. L'appellation "vierge" signifie que l'huile a été obtenue par simple pressage des fruits, sans aucune autre substance ajoutée. L'huile d'olive "extra-vierge" est produite de la même façon, mais son taux d'acidité est inférieur à 1 %, ce qui lui confère une saveur plus délicate que l'huile "vierge" qui peut avoir un taux d'acidité allant jusqu'à 2 %.

■ Fini le cholestérol !

Grâce à ce formidable équilibre en acides gras essentiels monoinsaturés et polyinsaturés, l'huile d'olive protège tout le système cardio-vasculaire.

De nombreuses études ont montré que la consommation régulière d'huile d'olive exerce une action protectrice contre le "mauvais" cholestérol.

C'est aussi un laxatif léger. Elle participe au maintien de la solidité osseuse en améliorant l'équilibre calcique. Enfin, elle stimule la production de bile, ce qui améliore globalement toute la digestion.

■ Antioxydants et vitamine E

Selon sa provenance, elle compte de 55 à 83 % de ce précieux acide gras. Elle contient aussi jusqu'à 20 % d'acides gras polyinsaturés, pour seulement de 8 à 14 % d'acides gras saturés, les mauvais, ceux qui bouchent les artères. Elle renferme des micronutriments dont certains sont antioxydants, comme la précieuse vitamine E.

■ Crue, de préférence...

Pour profiter pleinement de ses bienfaits, il vaut mieux consommer l'huile d'olive crue. Comme les vitamines, les acides gras sont fragiles et s'oxydent à la chaleur.

Cela tombe bien : autant l'huile d'olive crue a une saveur délicate, autant elle devient forte lorsqu'on la chauffe.

FAUT-IL CONSOMMER D'AUTRES HUILES ?

Il n'existe pas d'huile plus ou moins grasse qu'une autre. Les huiles sont composées de lipides et ont toutes la même valeur calorique. Ce qui change, en revanche, c'est leur composition en vitamines et en acides gras essentiels !

Elles contiennent surtout des acides gras insaturés. Tant mieux ! Mais chacune possède sa propre composition en acides mono-insaturés et polyinsaturés, en acides linoléique et linolénique.

Alors, pour être certain de ne pas manquer d'une substance ou d'une autre, l'idéal est de prendre l'huile d'olive comme base, et d'alterner des huiles différentes de temps en temps pour varier à la fois le plaisir des papilles et les apports nutritionnels.

À condition, bien sûr, de toujours choisir des huiles de bonne qualité, de première pression à froid, bio de préférence !

L'huile de tournesol a détrôné l'huile d'arachide. Celle-ci contient 50 % d'acides gras mono-insaturés et elle résiste bien à la chaleur. Elle reste une bonne huile de friture, mais comme il vaut mieux éviter ce mode de cuisson...

■ L'huile de tournesol

L'huile de tournesol est riche en vitamine E. Elle est très pauvre en acides gras saturés (12 %), mais elle contient de grandes quantités d'acide linoléique (65 %).

Hélas, sa faible teneur en acide gras linolénique en fait un moins bon protecteur cardio-vasculaire que l'huile d'olive. Et elle résiste moins bien à la chaleur que l'huile d'arachide.

■ L'huile de sésame

Délicieuse au goût, elle se conserve bien et est très stable à la chaleur. Elle contient de la vitamine E et près de 45 % d'acides gras polyinsaturés. Elle a une saveur de noisette grillée qui se marie particulièrement bien avec les crudités.

■ L'huile de soja

Elle est très riche en vitamines E et A, et contient beaucoup de lécithine. Cela contribue à en faire un excellent protecteur cardio-vasculaire, d'autant qu'elle contient aussi plus de 60 % d'acides gras polyinsaturés.

■ L'huile de noix ou de noisette

Très intéressantes pour leur saveur marquée, ces huiles relèvent agréablement les salades, surtout si on les marie avec des vinaigres un peu sucrés (framboise, poire, figue, miel...). Essayez aussi l'huile de racine de coriandre, très savoureuse.

L'huile de noix contient plus de 70 % d'acides gras polyinsaturés, et l'huile de noisette plus de 76 % de monoinsaturés. Elles se complètent donc très bien !

Évitez les margarines !

LES ACIDES GRAS qu'elles contiennent ne sont pas de bonne qualité. Pour solidifier les huiles et en faire une substance aussi solide que le beurre, il faut les hydrogéner. Cette transformation donne naissance à des acides gras "trans", différents de ceux d'origine et beaucoup plus nocifs.

De plus, les margarines n'ont aucun intérêt sur le plan calorique puisqu'elles sont aussi énergétiques que le beurre. Alors n'hésitez plus : préférez les vraies huiles, à cru comme pour la cuisson.

QUELS VINAIGRES ?

Pas de salade sans un bon vinaigre. On trouve aujourd'hui des vinaigres aromatisés permettant des mélanges de saveurs étonnants. D'autres sont faits avec du cidre, du vin, de l'alcool, du miel...

■Alcool + bactérie = vinaigre

Le vinaigre est fabriqué à partir d'une boisson alcoolisée que l'on fait fermenter. C'est l'alcool lui-même qui se transforme en acide acétique sous l'effet d'une bactérie, et c'est cet acide qui donne au vinaigre sa saveur acide. Plus le produit d'origine est de bonne qualité, plus le vinaigre qu'il donnera sera bon.

■Un médicament très ancien

Autrefois, on prescrivait le vinaigre pour lutter contre bien des affections : l'excès de poids, la goutte, les maladies de peau, les morsures de serpent... Aujourd'hui encore, on utilise le vinaigre de cidre dans le cadre de certains régimes amincissants car il est censé favoriser la combustion des graisses. Une chose est sûre : en raison de son acidité, le vinaigre est contre-indiqué en trop grande quantité pour les personnes qui souffrent d'acidité gastrique ou d'ulcères.

■Framboise ou figue ?

Les vinaigres aromatisés permettent de varier les goûts des salades. Il suffit d'une petite quantité (une cuillerée de vinaigre pour trois à quatre cuillerées d'huile) pour changer la saveur d'une sauce. Le vinaigre de framboise se marie bien avec l'huile de sésame, le vinaigre de noix avec l'huile de tournesol, le vinaigre de figue avec l'huile d'olive... Préférez les vinaigres de qualité, aromatisés aux substances naturelles et non aux arômes artificiels. Pensez aussi au célèbre vinaigre balsamique, moins acide mais très goûteux.

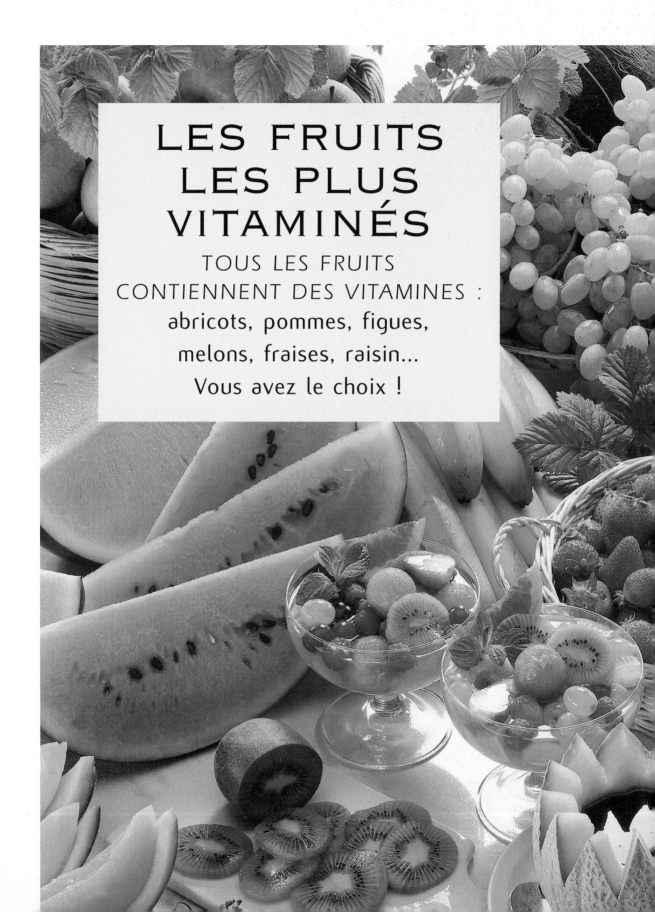

LES FRUITS LES PLUS VITAMINÉS

TOUS LES FRUITS
CONTIENNENT DES VITAMINES :
abricots, pommes, figues,
melons, fraises, raisin...
Vous avez le choix !

ABRICOTS, LE PLEIN DE VITAMINE ANTI-ÂGE

Comme tous les fruits et légumes orangés, les abricots contiennent beaucoup de bêta-carotène. Ils constituent donc une excellente parade contre les méfaits des radicaux libres. Ce nutriment améliore la vision nocturne et protège la structure de l'œil. Enfin, certaines études ont montré qu'une consommation régulière d'abricots contribue à la protection contre le cancer de l'estomac et du poumon.

Choisissez vos abricots bien colorés, ils seront d'autant plus riches en bêta-carotène. Achetez-les mûrs et mangez-les rapidement : ils arrêtent de mûrir très vite après avoir été ramassés.

■ Pas d'effet sur les kilos

Les abricots ont la réputation de faire grossir. C'est faux ! Secs, ils approchent les 160 calories pour 100 g, mais frais, ils n'en apportent que 31. Ils contiennent des sucres qui passent lentement dans le sang, procurant au corps une énergie durable.

Comme il est très riche en fibres, l'abricot améliore aussi le transit intestinal, donc combat la constipation.

■ Une livre par jour...

Les abricots sont également riches en potassium. Or, ce minéral se combine au sodium, au niveau rénal, pour stabiliser la tension artérielle. Une carence en potassium peut se manifester par de l'hypertension. L'apport en potassium d'une livre d'abricots par jour permet aussi de traiter les troubles de l'humeur des personnes âgées, souvent dus à un manque de potassium.

ANANAS, DE TOUT UN PEU...

L'ananas n'est pas un fruit très riche en vitamines, mais sa composition étant bien équilibrée, on peut en manger souvent.

Des enzymes

Son intérêt majeur vient de sa forte teneur en enzymes. Ces substances jouent un rôle de catalyseur dans les réactions métaboliques. Si elles sont présentes en grande quantité, en asociation avec les vitamines, les réactions biochimiques se font mieux et l'organisme tout entier en bénéficie.

De la broméline

Cette substance aide à dissoudre des caillots sanguins qui risquent de boucher les artères. L'ananas est donc conseillé aux personnes à risque. Une étude a montré qu'un apport de broméline extraite de l'ananas fait baisser le risque de mortalité chez ces sujets de manière importante. La broméline facilite également la digestion en accélérant l'assimilation des protéines. Enfin, l'ananas contient de l'acide coumarique qui protège contre certains cancers.

BANANES, GLUCIDES ET POTASSIUM

Sa richesse en potassium permet d'aider les personnes souffrant d'hypertension à réguler naturellement leur pression artérielle.

Verte, contre le diabète

La banane est riche en glucides et fournit de l'énergie rapidement, surtout si elle est mûre. C'est pourquoi c'est le fruit idéal pour le goûter des enfants ou pour les sportifs. Lorsqu'elle est à peine mûre, elle contient beaucoup d'amidon qui aide à réguler le taux de sucre sanguin. Elle est donc utile pour les personnes sujettes au diabète, consommée presque verte.

Pour les personnes âgées

Les personnes âgées souffrent souvent d'un manque de potassium qui provoque un état dépressif, voire de confusion mentale. Deux bananes par jour éviteraient ces problèmes.

CHÂTAIGNES, VITAMINES ANTISTRESS !

Elles contiennent en grande quantité un mélange de nutriments très utiles pour améliorer le fonctionnement nerveux et cérébral. Elles calment notamment la nervosité et aident à lutter contre le stress. Cette action est due à leur teneur importante en potassium, calcium, magnésium et vitamines du groupe B.

■ De l'énergie pour les sportifs

Les châtaignes contiennent des glucides lents susceptibles d'apporter de l'énergie à l'organisme, de manière régulière et progressive, pendant plusieurs heures après leur ingestion.

C'est un excellent aliment pour les sportifs, par exemple, ou pour les enfants qui se dépensent beaucoup.

Les châtaignes apportent 170 calories pour 100 g, c'est-à-dire moins que le pain ou les pâtes, pour un apport énergétique équivalent. Comme elles sont très pauvres en graisses, quelques châtaignes peuvent constituer un en-cas coupe-faim dans le cadre d'un régime amincissant.

■ Grillées ou pochées ?

Les châtaignes sont le fruit du châtaignier dont on trouve encore de belles forêts dans le nord de la Corse ou en Ardèche. Autrefois, elles y constituaient la base de l'alimentation.

On peut les consommer grillées ou pochées (n'oubliez pas de les inciser avant la cuisson pour qu'elles n'éclatent pas).

Dans ces régions, on cuisine aussi avec la farine de châtaigne. Plus sombre que la farine de blé, plus goûteuse aussi, elle peut la remplacer dans la plupart des préparations : gâteaux, entremets... En Corse, on en fait la célèbre polenta.

N'oublions pas la traditionnelle dinde aux marrons des tables de Noël.

FIGUES, POUR AMÉLIORER LE TRANSIT

La figue contient du fer, du potassium, du calcium, du bêta-carotène, des fibres...
De quoi aider l'organisme à plusieurs niveaux. On peut consommer les figues fraîches, mais leur saison est courte et elles sont très fragiles. Si on peut les consommer à peine cueillies, c'est l'idéal. On peut aussi les consommer sèches. Elles ont alors une concentration en nutriments exceptionnelle, qui en fait un "super-aliment". Mais attention : sèches, elles sont très caloriques !
La médecine traditionnelle chinoise conseille ce fruit pour aider l'organisme à se débarrasser de ses toxines, et pour traiter asthme et maux de gorge.
Le suc blanc qui se dégage de leur queue lorsqu'on la coupe est efficace pour faire disparaître les verrues.

■ Recette

Un jus contre la constipation

CE JUS AIDE À ÉQUILIBRER le système digestif.
Ses fibres augmentent le bol intestinal et facilitent le transit. Il contient en quantité des vitamines A, C et E, du calcium, du magnésium, du potassium... Il est conseillé par Anna Selby dans Les Bienfaits des jus de fruits et de légumes (éditions Trédaniel).
Ingrédients : 2 prunes, 1 pomme et 3 figues très mûres.
Passez les figues à la centrifugeuse, puis les prunes dénoyautées et la pomme coupée en morceaux. Buvez immédiatement.

■ Contre la constipation

Les figues, fraîches ou sèches, améliorent le transit intestinal de deux manières : par leur richesse en fibres qui augmentent le volume des selles et par une action spécifique sur les muscles qui provoquent les contractions intestinales indispensables à l'expulsion des selles.
Le sirop de figues est considéré depuis très longtemps comme un laxatif naturel très doux, que l'on peut donner aux enfants et même aux bébés.

■ Pour reminéraliser

Sèches, les figues contiennent beaucoup de calcium, ainsi que de nombreux autres minéraux et oligoéléments dont l'action conjuguée permet de reminéraliser naturellement l'organisme. C'est même un traitement préventif contre l'ostéoporose pour les femmes en préménopause.
Enfin, elles renferment du fer, qui augmente la production d'hémoglobine dans le sang. Ce fer est toutefois plus facile à assimiler si on mélange les figues avec des fruits riches en vitamine C (kiwis, oranges...).

■ L'arbre de Bouddha

Son nom, sa forme, sa couleur évoquent irrésistiblement le bassin méditerranéen. Mais la figue vient de beaucoup plus loin. La légende raconte qu'après des années de méditation intense, Bouddha reçut enfin l'illumination qu'il recherchait sous... un figuier !
La figue se marie très bien avec les autres fruits dans les compotes ou les salades de fruits. On peut également l'accomoder avec l'agneau et les viandes blanches. Elle est délicieuse aussi avec les volailles : canard, poulet... Une compote de figues, pas trop sucrée, accompagne délicieusement le foie gras et certains fromages secs.

FRAISES, LE NETTOYAGE DE PRINTEMPS

D'abord exista la fraise des bois, une délicate et timide petite baie rouge extraordinairement parfumée. Puis elle fut cultivée, grossit, changea de parfum. Aujourd'hui, on peut consommer pendant la moitié de l'année ce trésor de vitamine C, qui est en plus un formidable draineur du foie.

Les fraises ont de nombreuses vertus. Elles sont diurétiques, car elles contiennent beaucoup d'eau. Leur teneur en vitamine C en fait un fruit tonique. Elles contiennent également des vitamines du groupe B et du bêta-carotène.

■ Le ménage du foie

Toutefois, elles constituent avant tout un formidable draineur des cellules hépatiques et rénales. En fait, les fraises exercent sur tout l'organisme une action nettoyante, drainante. On raconte que le célèbre botaniste Linné fut guéri d'une attaque de goutte simplement parce qu'il s'était nourri uniquement de fraises pendant plusieurs jours. Cela s'explique : en nettoyant le foie et les reins, les fraises aident à l'évacuation de nombreuses toxines, dont l'urée et l'acide urique.

■ Trois jours suffisent

Profitez du printemps pour faire une cure de fraises. Pendant les trois premiers jours, allégez progressivement votre alimentation en supprimant la viande, puis le fromage, le poisson, les corps gras, les céréales... Au quatrième jour, vous ne mangez donc plus que des végétaux. Vous êtes prêt pour votre cure : pendant les trois jours suivants, nourrissez-vous uniquement de fraises, non assaisonnées, en quantité illimitée. Ensuite, vous réintégrez un à un les aliments que vous aviez supprimés jusqu'à reprendre une alimentation normale.

Vous en ressortirez léger et en forme. Ne vous inquiétez pas si vous avez quelques boutons : c'est signe d'élimination !

■ Recette

Flan de fraises à la menthe

POUR 6 PERSONNES, rincez 1 kg de fraises. 1. Découpez la moitié des fruits et passez le reste au mixer. 2. Ajoutez à cette purée 50 g de sucre brun, une cuillerée d'eau de fleurs d'oranger et un jus de citron.
3. Chauffez 20 cl de vin rosé doux dans une casserole. Ajoutez-y 6 feuilles de gélatine trempées et égouttées, puis la purée de fraises.
4. Ciselez un bouquet de menthe fraîche.
5. Dans une terrine, préalablement rafraîchie, alternez une couche de fraises découpées et une de menthe. Puis couvrez avec la purée.
6. Mettez au frigo 12 h.

FRUITS ROUGES, CONTRE LES VARICES

Ils se nomment framboise, cassis, groseille, mûre…. Ils sont un vrai feu d'artifice de saveurs en été et en automne.
Tous sont riches en vitamine C et en potassium. Mangez-en lorsque la nature les fait éclore, ce sera votre réserve de jeunesse pour les hivers à venir !

■Sauvages ou cultivés ?
Ils constituent l'un des rares groupes de fruits que l'on peut encore trouver en quantité au bord des chemins.
Les mûres sauvages, notamment, méritent bien qu'on se griffe un peu les mains pour aller les cueillir. Elles sont en effet comme leurs sœurs groseilles et canneberges, cassis et groseilles à maquereau, airelles et myrtilles, bourrées de substances antioxydantes qui protègent des effets du vieillissement.
Les mûres renferment beaucoup de vitamine E (environ deux fois plus que les autres baies), alors que les groseilles à maquereau sont plus riches en carotène. Le cassis est le champion du potassium.

■Des vertus circulatoires
Les baies bleu sombre ou violettes, comme les myrtilles ou le cassis, contiennent des anthocyanidines qui renforcent les parois des veines et protègent contre l'apparition des varices.
Les baies contiennent beaucoup de fibres, qui facilitent le transit intestinal. Enfin, comme elles sont peu caloriques, elles peuvent être consommées dans les régimes amincissants, à condition de ne pas ajouter trop de sucre et de crème !
Celles qui sont très acides accompagnent les viandes, alors que les plus sucrées sont délicieuses en desserts, cuites ou crues. N'hésitez pas à les ajouter dans les salades salées, dont elles relèvent le goût.

FRUITS SECS, UNE MÉMOIRE D'ÉLÉPHANT

Les régimes amincissants les ont éloignés de nos assiettes. C'est dommage, car les noix, noisettes, amandes, pistaches… sont bourrées de vitamines, d'acides gras et d'oligoéléments. Elles sont excellentes pour les cellules nerveuses et cérébrales.

Magnésium, potassium, calcium, zinc, sélénium, vitamines du groupe B, vitamine E sont au rendez-vous.

■ Cerveau, cœur, os…

Le zinc contenu dans les fruits secs soutient l'action du système immunitaire qui nous défend contre les agressions microbiennes. Leur calcium protège de l'ostéoporose. Leur sélénium augmente la fertilité masculine.
Enfin, les fruits secs améliorent le fonctionnement cérébral, notamment la mémoire, grâce à leurs vitamines B et à leurs nombreux acides gras essentiels. Comme ils contiennent aussi de "bons" acides gras essentiels, une consommation régulière permet de limiter le taux de cholestérol sanguin et protège le cœur et le système cardio-vasculaire contre bien des maladies.

■ Caloriques, mais pas trop

C'est vrai, les fruits secs sont très caloriques : 600 calories pour 100 g. C'est beaucoup ! Ce n'est pas une raison pour les bouder, même si vous faites attention à votre ligne.
Certes, il ne faut pas en manger à tous les repas, mais une petite poignée de fruits secs représente environ 15 à 20 g seulement, soit 100 à 120 calories. À l'heure du goûter, cela vous calera l'estomac rapidement si vous avez une petite faim.
Un croissant ou quelques gâteaux secs sont deux à trois fois plus caloriques, et n'apportent pas tous les nutriments des fruits secs. C'est aussi un en-cas idéal pour les sportifs.

■ Le bon choix

Mieux vaut acheter ces fruits dans leur coquille et prendre la peine de les éplucher : ils seront plus savoureux et plus riches en nutriments.
Soupesez et écoutez : s'ils sont vieux et secs, ces fruits sont légers et font du bruit lorsqu'on les agite. Préférez ceux qui pèsent lourd et qui ne sonnent pas creux. Ne les gardez pas trop longtemps, sinon ils perdront eux aussi leurs nutriments.
N'hésitez pas à les cuisiner (avec les légumes, les viandes blanches…).

■ Recette

Salade de fruits secs

POUR 6 PERSONNES :
2 pommes, 6 abricots secs, 6 pruneaux, une poignée d'amandes, une de noix et une de pistaches.
1. Mettez les abricots et les pruneaux à tremper dans un jus d'orange, avec deux cuillerées de miel, un bâton de cannelle, une gousse de vanille et deux fleurs d'anis étoilé.
2. Faites chauffer quelques minutes puis laissez refroidir.
Mettez les fruits secs dans un saladier avec les pommes coupées en dés.
3. Égouttez les pruneaux et les abricots, ajoutez-les. Filtrez le jus restant, faites-le réduire quelques instants et versez sur le mélange.

KIWI, LA VITAMINE C

C'est, de tous les fruits, l'un des plus riches en vitamine C : 250 mg pour 100g, mais il contient bien d'autres merveilles qui font du bien...

■Fruit de Chine

On croit qu'il est né en Nouvelle-Zélande, mais en fait il vient de Chine. C'était jadis une plante ornementale fleurie, que l'on faisait grimper sur les tonnelles. Les Néo-Zélandais l'ont croisé jusqu'à ce qu'il donne des fruits comestibles.

Depuis, le kiwi a fait le tour du monde. En France, devenue le deuxième producteur mondial, on le cultive surtout dans le Sud-Ouest. On peut toutefois aussi le planter dans son jardin pour récolter ses kiwis soi-même.

Outre sa forte teneur en vitamine C (bien plus que les oranges et les citrons), le kiwi contient de nombreux minéraux : potassium, calcium, cuivre, zinc, magnésium... plus une quantité non négligeable de vitamines. Un kiwi moyen pèse 70 à 80 g. Deux kiwis apportent ainsi de quoi couvrir nos besoins courants en vitamine C.

■Des vitamines du groupe B

Comme il n'est pas très sucré, il s'adapte très bien aux régimes amincissants.

Sa saveur acidulée est due à la présence d'acides naturels, qui exercent une action modulatrice sur l'appétit. Alors, si vous voulez perdre du poids, n'hésitez pas ! La vitamine E du kiwi exerce une action antioxydante sur les cellules.

Enfin, il contient des vitamines du groupe B que l'on trouve assez peu dans les fruits frais. Il protège donc contre les effets du vieillissement et protège les artères.

Mais attention si vous avez les intestins fragiles : ses petits grains noirs peuvent être irritants.

MANGUE, MINE DE FER

C'est, de tous les fruits, le plus riche en fer. Elle aide donc à se protéger contre les risques d'anémie. Comme elle contient à la fois de la vitamine C, A et E, les trois vitamines antioxydantes, elle représente un excellent bouclier contre les radicaux libres.

■Protecteur intestinal

Ses fibres, présentes en grande quantité (la mangue est même très fibreuse et difficile à manger lorsqu'elle est trop mûre !), n'irritent pas l'intestin. Elle améliore ainsi le transit et protège contre le risque de cancer du côlon.

Enfin, il semble que la mangue contienne un antioxydant particulier, le bêta-cryptoxanthine, qui protégerait contre le risque de cancer du col de l'utérus.

■Recette

Mangues aux fleurs fraîches

POUR 6 PERSONNES,

1.Épluchez- trois mangues bien mûres et coupez-les en dés. Réservez.

2. Préparez un sirop avec 50 g de sucre brun, un jus de citron, trois cuillerées d'eau, un bâton de vanille et cinq brins de fleurs de lavande, puis amenez à ébullition. Laissez frémir pendant une dizaine de minutes en surveillant pour que le sirop reste fluide. Laissez tiédir.

3.Filtrez le sirop et versez-le sur les dés de mangue. Mettez au frais une demi-heure. Au moment de servir, parsemez le plat d'une poignée de pétales de fleurs de saison : violettes, capucines, pensées...

PAMPLEMOUSSE, L'ANTI-INFECTIEUX N° 1

Ses vertus se cachent dans sa chair, mais aussi dans sa peau et… dans ses pépins ! Il aide à faire baisser le taux de cholestérol et contient un étonnant antiseptique naturel.

Certains délaissent le pamplemousse en raison de sa saveur amère. C'est dommage, car c'est sans conteste le roi des agrumes. Non content de contenir de grandes quantités de vitamines antioxydantes (A, C et E), il renferme dans sa pulpe une fibre, l'acide galacturonique, qui réduit naturellement le taux de cholestérol sanguin.

Selon une étude américaine, manger un gros pamplemousse par jour suffirait à faire baisser le cholestérol de 10 %.

■Des pépins qui font du bien

Ce n'est pas tout : dans ses pépins, le pamplemousse contient un mélange de bioflavonoïdes, de glucosides et d'éléments divers qui constituent un cocktail antibiotique efficace, notamment contre les infections du tube digestif, y compris les champignons, souvent très résistants aux traitements chimiques.

On peut aussi utiliser l'extrait de pépins de pamplemousse contre les infections hivernales et buccales.

Herbert Pierson, un toxicologue américain qui s'intéresse de près à la relation entre cancer et alimentation, affirme avoir découvert dans le pamplemousse 58 agents anticancéreux. Des études menées sur des animaux ont montré que le pamplemousse était capable de les protéger contre l'agression de nombreuses substances chimiques très cancérigènes.

■Les agrumes antifatigue

Ils ensoleillent l'hiver avec leurs couleurs vives et leurs saveurs acidulées. Les agrumes sont bourrés de vitamines. De quoi nous éviter fatigue et infections, et même nous protéger contre certains cancers…

Les agrumes sont sur toutes les tables en hiver : oranges, citrons, citrons verts, mandarines, clémentines, pamplemousses, ainsi que des petits nouveaux, comme les tangerines ou les tangelos, produits de croisements entre des espèces différentes. Ces fruits sont très pratiques : ils sont faciles à peler, ils peuvent être transportés sans trop souffrir. C'est le fruit idéal des en-cas et du goûter.

■Des antioxydants majeurs

De nombreuses études font état de leur importance dans la prévention des cancers. D'abord, dans la fine enveloppe blanchâtre qui entoure les quartiers se trouvent des fibres qui accélèrent le transit intestinal et protègent contre le cancer du côlon.

Ensuite, et surtout, leur forte teneur en vitamine C et, dans une moindre mesure, en bêta-carotène, en fait des fruits antioxydants, donc protecteurs contre certains cancers, notamment de l'estomac. Or, en hiver, nous n'avons pas à notre disposition autant de fruits et légumes frais qu'en été, saison où nous en trouvons à foison. Raison de plus pour ne pas les oublier.

■L'arme antirhume

La vitamine C des agrumes a aussi une action anti-infection très utile en hiver. Elle stimule le système immunitaire qui a fort à faire en cette saison. La vitamine C exerce notamment une action spécifique sur les défenses immunitaires face aux microbes du rhume, en accélérant la réponse des cellules immunitaires et en améliorant leur production.

Elle aide aussi l'organisme à assimiler les autres nutriments, notamment le fer. Or, celui-ci n'est pas toujours bien assimilable surtout lorsqu'il est d'origine végétale. Les agrumes sont donc particulièrement conseillés aux femmes, qui souffrent plus que les hommes de carences en fer.

Enfin, on sait aujourd'hui que le cristallin de l'œil est renforcé par la vitamine C. En absorber suffisamment protège donc contre certains troubles, entre autres la cataracte. Alors n'hésitez plus ! en hiver, mangez des agrumes sous toutes leurs formes : crus, cuits, salés, sucrés... Si vous les cuisinez, ajoutez-les en fin de cuisson pour qu'ils ne perdent pas leurs vertus.

■Recette
Salade d'oranges aux endives

POUR 6 PERSONNES : 3 oranges, 2 endives et une poignée de noix de cajou.

1. Épluchez les oranges, débarrassez les quartiers de leur enveloppe et coupez-les en dés.
2. Nettoyez les endives et coupez-les en rondelles.
3. Préparez une sauce avec le jus d'une orange, une cuillerée de miel et deux de vinaigre de miel. Ajoutez du sel, du poivre et une pincée de piment de Cayenne moulu.
4. Versez sur les oranges et les endives dans un saladier. Ajoutez les noix de cajou. Servez frais, en décorant au dernier moment avec un peu de gingembre frais râpé.

PÊCHES, DES MINÉRAUX À FOISON

Dans la pêche, on trouve du potassium, du magnésium, du phosphore et du fer, entre autres minéraux. Ce fruit léger et rafraîchissant est un excellent reminéralisant.

■ En toutes circonstances

À l'instar des autres fruits orangés, elle contient du bêta-carotène (plus les jaunes que les blanches). On y trouve aussi de la vitamine C et de la vitamine E. Elle dispose ainsi des principales substances antioxydantes naturelles. C'est donc un excellent facteur de protection contre certains cancers et contre les maladies cardio-vasculaires, d'autant que sa pectine aide à la régulation du taux de cholestérol sanguin.

■ Une peau jeune et fraîche

Ces antioxydants protègent aussi la peau contre les effets du vieillissement. Dans la pêche, les vitamines sont soutenues par une grande quantité de flavonoïdes (des pigments naturels) qui améliorent leur assimilation par l'organisme.

Ainsi épaulées, les vitamines augmentent la solidité des petits vaisseaux capillaires, ceux-là mêmes qui provoquent des rougeurs sur le visage lorsqu'ils éclatent.

Les pêches à chair jaune sont plus résistantes que celles à chair blanche, mais elles sont souvent moins savoureuses.

Choisissez vos pêches mûres et mangez-les rapidement, car elles s'abîment vite.

POIRES, LE COUPE-FAIM NATUREL

C'est l'un des rares fruits que l'on peut consommer frais en toutes saisons et en toutes régions. Tant mieux, car une poire entre les repas calme les fringales.

■ Des sucres de qualité

Les poires contiennent assez peu de vitamines, comparées à bien d'autres fruits. Elles renferment les trois vitamines antioxydantes (A, C et E), mais en faible quantité. Leur intérêt nutritionnel réside surtout dans la qualité de leurs sucres. Ceux-ci passent lentement dans le sang et fournissent donc de l'énergie pendant un laps de temps important. Les sportifs peuvent en manger après l'effort, d'autant plus qu'elles sont désaltérantes (elles contiennent 85 % d'eau).

■ De bien bonnes fibres

Les fibres, présentes en grande quantité, sont particulièrement digestes, ce qui fait des poires l'un des premiers fruits que l'on peut donner aux bébés, et l'un des derniers que l'on peut encore faire manger aux personnes très âgées ayant des problèmes de nutrition.

Elles font aussi baisser le taux de cholestérol sanguin, moins que les pommes, cependant. Elles ont enfin une qualité qu'il est bon de rappeler : elles provoquent une sensation rapide et durable de satiété, ce qui en fait un coupe-faim idéal dans les régimes amincissants.

Contrairement aux pêches, les poires continuent à mûrir à température ambiante.

POMMES, L'ANTICHOLESTÉROL !

Ce qui fait la valeur nutritionnelle de la pomme, c'est son mélange idéal de vitamines antioxydantes et de fibres alimentaires. Elle figure parmi les fruits qui protègent globalement des méfaits des radicaux libres. Elle participe donc à la prévention de certains cancers.

■ Des artères à l'état neuf

La pomme a la réputation d'être un fruit anticholestérol, et cette réputation n'est pas usurpée. La pectine, contenue en grande partie dans la chair et surtout dans la peau du fruit, est une fibre capable de piéger les sels biliaires et le cholestérol sanguin. La réduction du taux de cholestérol sanguin pendant un régime riche en pommes a été constatée dans plusieurs études.

En plus, les pommes contiennent de la quercétine, une substance anticoagulante qui empêche la formation des caillots sanguins. Elle s'oppose ainsi à la formation des plaques d'athérome qui apparaissent lorsqu'on a trop de cholestérol et qui risquent de boucher les artères, provoquant des accidents vasculaires aux conséquences parfois graves.

■ Bonnes pour les diabétiques

Les pommes contiennent assez peu de sucre (11 g pour 100 g), et celui-ci est assimilé très lentement. On ne constate donc pas d'importante sécrétion d'insuline après l'ingestion d'une pomme. Les diabétiques peuvent en manger, de préférence à la fin du repas. La pomme possède aussi une étrange particularité : crue, elle a une action antidiarrhéique, alors que cuite, elle est légèrement laxative. On peut donc dire qu'elle régule le transit intestinal, ainsi d'ailleurs que la digestion dans son ensemble. Autrefois, on donnait aux enfants du sirop de pommes contre la constipation.

PRUNEAUX, LAXATIF IDÉAL

Tout le monde connaît les propriétés laxatives des pruneaux. Ce qu'on sait moins, c'est qu'ils aident à lutter contre l'hypertension artérielle grâce à leur potassium, et contre l'anémie grâce à leur fer.

■Laxatifs, oui, mais pas seulement...

Les pruneaux contiennent beaucoup de fibres (7,5 g pour 100 g). Celles-ci facilitent le travail des bactéries intestinales. Ils contiennent aussi de l'hydroxyphénilisatine, une substance qui stimule les contractions intestinales, et du sorbitol, qui est un vrai laxatif naturel.

Il n'est donc pas étonnant que les pruneaux soient utilisés depuis des siècles pour lutter contre la constipation !

■Une mine de minéraux

Mais ils contiennent aussi bien d'autres choses, notamment des minéraux en quantité, surtout du potassium et du fer. C'est pourquoi on conseille aux personnes ayant de l'hypertension artérielle de manger régulièrement des pruneaux : leur potassium contribue à la réguler.

Ils constituent aussi une très bonne source de fer : les personnes qui mangent peu de viande rouge, que ce soit par goût ou parce qu'elles sont végétariennes, ont tout intérêt à manger des pruneaux pour compenser une éventuelle carence.

On peut manger les pruneaux frais, mais leur teneur nutritionnelle est moindre que celle des pruneaux secs.

RAISIN, UN DIURÉTIQUE NATUREL

Il est doux, sucré, agréable à déguster. C'est aussi le meilleur ami de nos reins car il est naturellement diurétique. Il aide l'organisme à se débarrasser de ses déchets tout en douceur. Le raisin est le fruit de la légèreté, de la détoxication et... de la jeunesse ! Mangez-en, buvez-en, faites-en une cure chaque automne.

Le raisin n'est pas d'une grande richesse en vitamines, mais il contient des éléments qu'on ne trouve pas souvent dans les fruits : vitamine B1 et PP.

Avant qu'il ne soit à maturité, le raisin contient surtout du glucose, un sucre qui passe très rapidement dans le sang et provoque de fortes sécrétions d'insuline. De quoi fatiguer les pancréas fragiles, perturber les diabétiques et faire monter l'aiguille de la balance (l'insuline favorise le stockage des graisses).

Mais lorsqu'il est bien mûr, il contient surtout du fructose, un sucre plus lent, qui passe progressivement dans le sang et procure de l'énergie pendant plusieurs heures. Choisissez donc votre raisin bien mûr.

■ Pour éliminer les toxines

Sa forte teneur en potassium et sa faible teneur en sodium en font un extraordinaire diurétique naturel. Faites une cure de raisin en automne : pendant trois jours, vous allégez progressivement votre alimentation en produits animaux (viande, poisson, fromage...), puis des graisses et des céréales ; pendant les trois jours suivants, vous mangez uniquement du raisin.

Ensuite vous reprenez peu à peu une alimentation normale. Une telle cure vous aidera à vous débarrasser d'une grande quantité de toxines métaboliques (urée, acide urique...).

■ Un petit verre de vin ?

Le raisin contient aussi des polyphénols qui sont les antioxydants les plus puissants que nous connaissions. Mais ils sont cachés dans les pépins. Pour en bénéficier, il faut boire... du vin ! Surtout du vin rouge, de bonne qualité. Ne dépassez pas trois verres par jour, sinon les méfaits de l'alcool seraient plus importants que les bénéfices des polyphénols !

■Recette

Blancs de poulet aux raisins

POUR 6 PERSONNES : 6 blancs de poulet, 1 kg de
grains de raisin, un oignon et un verre de vin muscat.

1. Épluchez, épépinez les raisins et réservez.
Émincez les blancs de poulet. Épluchez l'oignon
et coupez-le en rondelles.

2. Faites revenir l'oignon dans un peu d'huile, salez,
poivrez, couvrez et laissez à petit feu trois minutes.

3. Ajoutez le poulet, couvrez et laissez cuire
un quart d'heure.

4. Ajoutez le vin muscat, une pincée de noix muscade,
et laissez cuire à découvert cinq minutes.

5. Au moment de servir, ajoutez les raisins,
des herbes aromatiques et des épices.

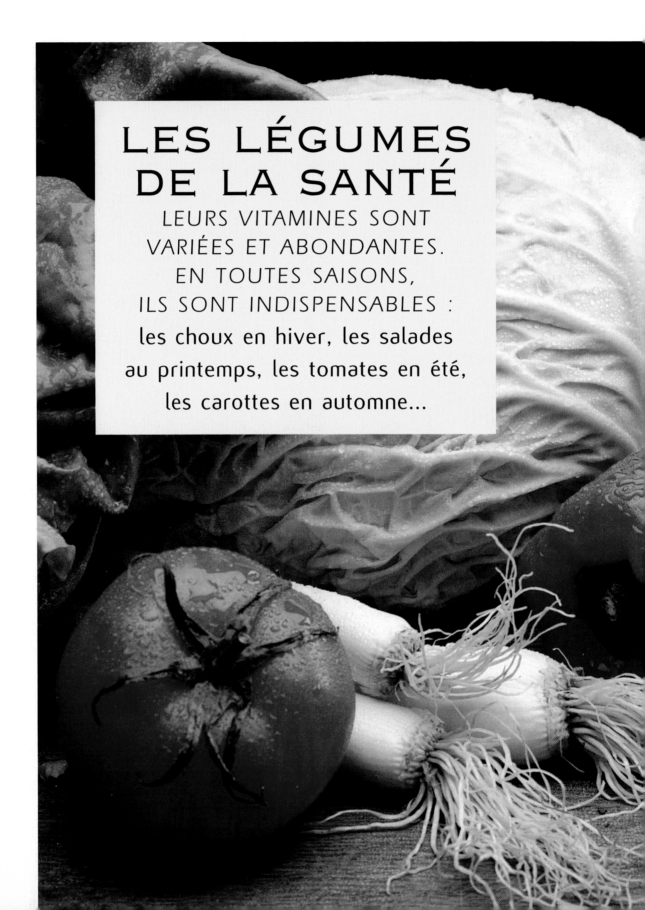

LES LÉGUMES DE LA SANTÉ

LEURS VITAMINES SONT
VARIÉES ET ABONDANTES.
EN TOUTES SAISONS,
ILS SONT INDISPENSABLES :
les choux en hiver, les salades
au printemps, les tomates en été,
les carottes en automne...

AIL, LE MEILLEUR AMI DU CŒUR

Un légume, l'ail ? Un simple condiment, selon certains. Pourtant, il a fait l'objet d'un grand nombre d'études scientifiques sérieuses au cours des trente dernières années. Et il le mérite bien tant ses vertus sont nombreuses.

L'ail contient surtout des minéraux et des oligoéléments : potassium, manganèse, souffre, zinc, sélénium... Ceux-ci sont associés à des substances rares, que seul l'ail possède.

■ Contre le cholestérol

L'ail contient de nombreux composés soufrés, dont de l'allicine qui est responsable de son action sur le taux de cholestérol. Non content de faire baisser le taux de cholestérol total, l'ail favorise le "bon" (celui qui sert aux cellules) au détriment du "mauvais" (celui qui risque de boucher les artères).

L'ail contient également des substances qui freinent la coagulation en empêchant l'agrégation des plaquettes sanguines.

Cela diminue le risque de maladies cardiovasculaires en empêchant la formation des caillots et des plaques d'athérome.

■ Un antiseptique exceptionnel

Ce drôle de légume est aussi un formidable agent antiseptique naturel : il est antifongique (il combat les champignons) et antibactérien, notamment au niveau digestif.

Il est même capable de s'opposer à l'action de certains virus, comme celui de la grippe ou celui de l'herpès. Il agit aussi sur la bactérie impliquée dans certains ulcères de l'estomac.

De nombreuses études ont aussi démontré que l'ail protège contre certains cancers, notamment les tumeurs digestives.

Enfin, l'ail fait baisser rapidement la pression artérielle. Il suffit pour bénéficier de ces bienfaits de manger au moins une gousse d'ail par jour (soit 3 à 5 g). Mais si vous l'aimez, vous pouvez augmenter la dose : il n'y a aucune contre-indication !

On soignait déjà avec de l'ail une cinquantaine de maladies dans la Rome antique.

Au Moyen Âge, on en faisait des onguents et des pommades, des tisanes et des élixirs. Depuis, les recherches ont confirmé les multiples vertus de ce légume pas comme les autres.

Si vous n'aimez pas son odeur, essayez de passer outre car vraiment, il mérite bien vos efforts !

■ Recette

Agneau aux 40 gousses d'ail

POUR 6 PERSONNES :
une épaule d'agneau de 1,2 kg.

1. Découpez-la en gros morceaux et faites-les revenir dans un plat en terre muni d'un couvercle ou une cocotte en fonte. Réservez.

2. Dans le jus, faites cuire un oignon, une carotte coupés en rondelles et un bouquet garni. Salez, poivrez.

3. Remettez la viande, versez un verre de vin blanc sec et ajoutez 40 gousses d'ail, non épluchées. Couvrez et mettez la cocotte au four à température très douce (120°) pendant deux heures au moins. La viande et les gousses d'ail doivent être fondantes.

ARTICHAUT, POUR DRAINER LE FOIE

Il amuse les enfants, avec ses feuilles que l'on retire une à une pour en grignoter l'extrémité. Pourtant, l'artichaut est un légume sérieux ! Il fait merveille pour désengorger le foie et stimuler la vésicule biliaire.
Côté vitamines, il contient un peu de vitamine C et des vitamines du groupe B.
Côté minéraux et oligos, il contient du magnésium, du calcium, du phosphore...

■ Faites-vous une fleur !

C'est la fleur de l'artichaut que l'on mange. Ses feuilles, qui font partie de la pharmacopée traditionnelle, sont utilisées pour traiter les troubles du foie. La fleur agit au même niveau. L'artichaut contient des minéraux et des fibres qui, moyennement digestes, peuvent irriter les systèmes digestifs fragiles.

■ Régénération garantie

Si vous le supportez, n'hésitez pas à en consommer souvent. En effet, l'artichaut contient de la cynarine et de l'acide caféique, qui agissent sur les cellules hépatiques et les régénèrent lorsqu'elles sont endommagées. L'artichaut draine le foie, le nettoie de ses impuretés et stimule le fonctionnement de la vésicule biliaire, accélérant la sécrétion et l'évacuation de la bile dans le tube digestif.

■ Cholestérol et cancer

La cynarine agit également sur le taux de cholestérol sanguin et de triglycérides, qu'elle réduit rapidement. Une aubaine pour ceux qui veulent protéger leur cœur et leurs artères.
Côté intestinal, l'artichaut soulage la constipation grâce à ses fibres. Il semble également qu'il joue un rôle régulateur sur les bactéries de la flore intestinale et qu'il protège contre les risques de cancer.

ASPERGES, DU POTASSIUM POUR LES REINS

L'asperge contient de la vitamine C, et surtout de la vitamine A, antioxydante. Il faut ajouter à cela du phosphore, du calcium et aussi du potassium.

Verte ou blanche, l'asperge constitue une délicieuse entrée. Elle a des vertus diurétiques importantes, bien connues depuis des siècles. D'ailleurs, on l'utilise en médecine traditionnelle pour soigner les affections des reins.

■ Contre la rétention d'eau

L'asperge est un diurétique exceptionnel, non seulement en raison de sa teneur en potassium, mais surtout parce qu'elle contient certains principes actifs comme l'asparagine et l'asparagose, qui exercent une action directe sur l'activité rénale.

On l'utilise depuis des siècles, et à juste titre, pour lutter contre la rétention d'eau, y compris chez les personnes atteintes de pathologies cardiaques et d'hypertension artérielle sérieuse.

Chez les malades hypertendus, il est parfois utile de diminuer la quantité de sang circulant dans les artères pour faire baisser la pression que celui-ci exerce sur les parois des vaisseaux. La consommation d'asperges fait alors aussi bien que certains médicaments diurétiques.

■ Dépurative : oui, mais...

Elle aide à l'élimination de nombreux déchets. Elle est donc dépurative, comme tous les diurétiques. Cependant elle contient de l'acide urique, ce qui en limite l'utilisation chez les personnes sujettes à un excès d'acide urique.

Attention : évitez aussi d'en consommer trop si vous souffrez de cystites à répétition car elle risque d'avoir un effet inflammatoire local. Contentez-vous de deux portions par semaine, en saison.

AUBERGINE, LE PIÈGE À SUCRE

Sa richesse réside dans son potassium, et surtout dans ses pectines qui piègent, dans l'intestin, le cholestérol et les sucres.

Sa peau violette cache une chair beige, un peu spongieuse. Il faut la faire cuire pour la consommer. Si vous ne la préparez pas avec trop de matières grasses, elle restera peu calorique.

Elle provoque une satiété rapide, ce qui la rend intéressante dans les régimes amincissants. Elle contient des fibres très digestes, qui facilitent le transit intestinal en douceur. Ces fibres ont pour effet de piéger le cholestérol alimentaire. La consommation régulière d'aubergines protège donc le cœur et les artères. Ce légume est aussi intéressant pour les diabétiques car il ralentit le passage des sucres dans le sang. Enfin, comme elle contient pas mal de potassium, elle est un peu diurétique.

Mangez-la grillée, cuite à four tiède et réduite en purée, ou encore farcie.

AVOCAT, PROTECTEUR DES ARTÈRES

C'est vrai, il est gras ! Mais il contient surtout des graisses mono et polyinsaturées, celles qui nous protègent du mauvais cholestérol. Vous pouvez donc en manger, à condition de ne pas le noyer sous la vinaigrette ou la mayonnaise, un jus de citron suffit...

◼ Une mine d'acides gras insaturés

C'est vrai, il est très gras pour un aliment végétal : il contient jusqu'à 20 g de matières grasses pour 100 g. Mais celles-ci sont d'excellente qualité : elles comptent 60 % d'acides gras mono-insaturés et 10 % de polyinsaturés. Une étude menée en Israël a montré que des patients voyaient leur taux de cholestérol chuter de manière significative lorsqu'on les soumettait à un régime riche en avocats, amandes et huile d'olive. Il est, bien sûr, assez calorique (150 cal. pour 100 g), mais il a un fort pouvoir de satiété. Enfin, c'est un aide précieux pour lutter contre le stress car il contient aussi un bel éventail de vitamines du groupe B.

◼ Formidable vitamine E !

En plus, sa vitamine E est facilement assimilable par l'organisme, ce qui n'est pas le cas de tous les végétaux. En outre, elle n'est jamais abîmée par la cuisson puisqu'on le consomme cru.

Cette vitamine E améliore la vitalité des spermatozoïdes, ce qui aide à lutter contre la stérilité masculine.

BETTERAVE, TRÈS RICHE EN B9

Les carences en fer sont la cause de nombreux troubles, dont l'anémie, la fatigue, certains désordres cardio-vasculaires. Or, pour assimiler le fer, l'organisme a besoin d'un apport en vitamine B9. Les betteraves contiennent les deux en quantité importante.

■ Pendant les règles

C'est particulièrement important pour les femmes en période de règles : l'organisme utilise le fer et la vitamine B9 pour reconstituer l'hémoglobine perdue. Les femmes enceintes ont également intérêt à manger des betteraves pour protéger leur enfant à naître contre certains risques de carences. Les fibres de la betterave ont la capacité de faire baisser le taux de "mauvais" cholestérol, celui qui risque de se déposer sur les artères.

■ Pas trop cuites

La cuisson altère la vitamine B9. Faites cuire vos betteraves le moins longtemps possible (four tiède ou vapeur douce). Ensuite, vous pourrez les manger froides en salade ou chaudes en légume d'accompagnement. Choisissez des betteraves lisses et fermes, signe qu'elles ne sont pas cueillies depuis trop longtemps. Vous pouvez aussi essayer de les consommer crues, râpées comme le céleri rave.

CAROTTES, VITAMINES A, C ET E

On peut en manger toute l'année, mais c'est en hiver que l'on trouve de jeunes carottes bien fraîches.

Sa couleur est due à une présence exceptionnelle de bêta-carotène. Comme elle contient aussi un peu de vitamines C et E, elle constitue un excellent antioxydant. Elle est remplie de fibres qui piègent le cholestérol alimentaire.

Elle contient une bonne dose de vitamine B9 qui aide à la fixation du fer. Elle aide donc à lutter contre l'anémie et la fatigue. En plus, comme le savaient nos grand-mères, la carotte calme les diarrhées. Évitez d'éplucher vos carottes à l'avance. Si vous le faites, n'oubliez pas de les arroser de jus de citron : elles ne noirciront pas, et elles perdront moins de nutriments.

CÉLERI, CONTRE L'ANXIÉTÉ

C'est avant tout un légume conseillé aux personnes souffrant d'hypertension artérielle. Il contient des phthalides, qui régulent la sécrétion des hormones responsables de l'équilibre tensionnel.

■ C'est bon pour le moral !

Ces substances agissent également sur le système nerveux. C'est pourquoi le céleri calme également l'angoisse et l'anxiété chroniques. Il est particulièrement indiqué dans les périodes où l'on est confronté à des stress violents ou répétés.
Les guérisseurs des campagnes conseillaient jadis de manger du céleri pour lutter contre les rhumatismes, notamment la poly-arthrite rhumatoïde. Ils n'avaient pas tort ! Plusieurs études ont montré que ce légume contient du silicone, une substance qui pourrait contribuer à calmer les inflammations articulaires.

■ Il n'y a rien à jeter

Les grosses feuilles se conservent au frais pour faire des bouquets garnis ou parfumer des soupes. Les pousses tendres se mangent crues en salade ; les côtes, plus épaisses, cuites en accompagnement.
Le céleri est un légume complet, que nous devrions toujours avoir en réserve. Il se conserve bien au frigo, à condition que celui-ci ne soit pas trop humide.

■ Recette

Carottes au cumin

POUR 6 PERSONNES : un kilo de carottes, trois gousses d'ail, un bouquet garni, un jus de citron et du cumin.
1. Rincez les carottes, pelez-les légèrement, coupez-les en rondelles et mettez-les à cuire à feu doux dans une cocotte, avec une cuillerée d'huile d'olive et trois gousses d'ail écrasées.
2. Ajoutez un bouquet garni (thym, romarin, laurier et céleri) et une cuillerée de cumin moulu, du sel et du poivre. Versez un verre d'eau dans la cocotte et couvrez.
3. Laissez cuire à feu doux pendant vingt minutes. Puis arrêtez le feu, ajoutez un jus de citron, une cuillerée d'huile d'olive et un bouquet de coriandre finement ciselé. Mangez froid.

CHAMPIGNONS, IMMUNITÉ MAXIMUM !

Il en existe près de 300 000 variétés. Tous ces champignons ont des compositions différentes. Mais leur principale qualité est de renforcer l'action du système immunitaire et de nous protéger contre les maladies. De plus comme ils sont peu caloriques, on peut en manger en quantité.

Les champignons ne comptent en moyenne qu'une vingtaine de calories pour 100 g. Et comme ils sont très légers, un poids minime représente un volume important. Ce sont donc de très bons aliments de régime amincissant, à condition de ne pas les faire cuire dans un corps gras, car ce sont de véritables éponges ! Crus, ils rassasient rapidement. tout en étant très nutritifs (ils contiennent notamment des protéines), et les minéraux qu'ils renferment en font des reminéralisants généraux de l'organisme.

■ Shii-ta-ké et mai-ta-ké

Ces deux champignons ont fait l'objet d'études nombreuses, surtout au Japon où on les utilise en médecine traditionnelle pour renforcer l'immunité. De fait, le shii-ta-ké et le

Les champignons constituent un règne à part.
Ni tout à fait végétal, ni tout à fait animal.
Ces entités étranges ont pourtant
de belles cordes à leur arc nutritionnel.

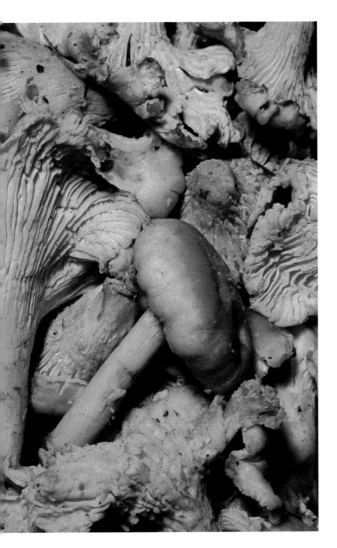

cuisiner (surtout le shii-ta-ké), soit sous forme de complément alimentaire conditionné en gélules

■ Attention à la pollution

Il reste cependant un problème : les champignons sont de véritables éponges à pollution, à tel point qu'on les utilise parfois comme témoins du degré de pollution des sols dans les zones à risque.

Après l'accident nucléaire de Tchernobyl, ils furent les premiers à montrer un taux anormalement élevé de substances radioactives. Il faut donc être très vigilant sur la qualité des champignons que l'on consomme et savoir impérativement où ils ont poussé, et dans quelles conditions.

■ Recette

Champignons aux épinards

POUR 6 PERSONNES :
300 g de champignons
de Paris, un beau poivron rouge
et 300 g d'épinards frais.
1. Rincez les légumes sous l'eau
et découpez-les. Mettez-les dans un saladier.
2. Préparez une sauce avec 5 cuillerées de
crème liquide allégée (ou de fromage blanc
maigre), à laquelle vous ajoutez deux cuillerées
de vinaigre de framboise, une cuillerée
d'huile de noix et un peu de sauce de soja.
Salez très légèrement et poivrez.
3. Versez sur les légumes et laissez reposer
un quart d'heure avant de servir pour
qu'ils s'imprègnent bien de la sauce.

mai-ta-ké ont montré expérimentalement qu'ils font remonter le nombre des cellules immunitaires. Ils contiennent aussi des substances capables d'inhiber la prolifération de certains virus.

Il semblerait également qu'un de leurs composants, le lentinan, soit capable de freiner la prolifération des cellules cancéreuses. On trouve ces deux champignons soit frais, à

CHOUX, PROTECTION ANTICANCER

Frisés ou lisses, à feuilles
ou à fleurs, rouges ou verts...
les choux se déclinent
pour le plus grand plaisir
des cuisinières,
car on peut les mettre
à toutes les sauces.
Et comme ils ont de
nombreuses vertus,
y compris anticancéreuses,
il serait dommage
de s'en priver !

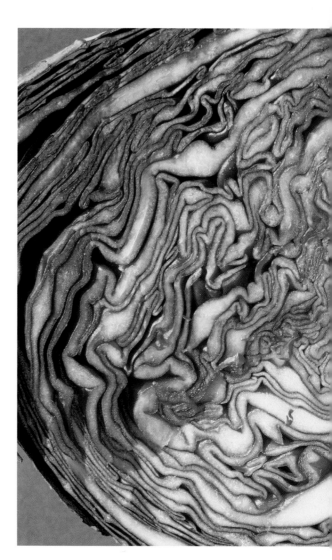

■ Le chou vert

C'est celui que l'on utilise le plus en médecine traditionnelle, notamment en cataplasme
sur les plaies, les hématomes, les
brûlures... C'est que ce chou possède des
vertus cicatrisantes, bactéricides et anti-
inflammatoires. On peut aussi en profiter en
le mangeant (plutôt cru) et en buvant son
jus. Le chou vert est riche en bêta-carotène

Le chou-fleur contient plus de vitamine B9 que tous les autres choux, vitamine qui améliore l'absorbtion du fer. Il renferme aussi des substances soufrées, les glucosinates, qui lui donnent son goût piquant lorsqu'il est cru, et son odeur forte lorsqu'il cuit.

■Recette

Spaghettis aux brocolis

POUR 6 PERSONNES

1. Faites cuire 500 g de spaghettis et mettez-les à égoutter.
2. Nettoyez 1 kg de brocolis, découpez-les, et mettez-les à cuire à la vapeur douce pendant cinq minutes.
3. Pelez un oignon et 3 gousses d'ail, découpez-les et faites-les revenir à petit feu dans un peu d'huile d'olive. Ajoutez les brocolis, puis les spaghettis. Laissez chauffer cinq minutes.
4. Ajoutez, hors du feu, deux tomates coupées en cubes, du basilic ciselé, une cuillerée de vinaigre balsamique, des copeaux de parmesan et un bouquet de basilic.

prévient certains cancers. Il est riche en vitamine B9, qui accélère la multiplication des globules blancs et améliore la réponse immunitaire.

■Les brocolis

Ce légume de la famille des choux à fleurs est le champion toute catégories des anti-cancéreux naturels. De nombreuses études ont clairement montré que la consommation régulière de brocolis réduit sensiblement le risque de cancer.

Cette action se manifeste sur la plupart des cancers : digestifs, mais aussi du sein, de la prostate, du côlon... On l'attribue à la présence d'indoles et de composés soufrés qui détoxiquent l'organisme et le débarrassent de substances polluantes dont l'accumulation peut finir par favoriser l'apparition de tumeurs.

(surtout dans ses feuilles vertes). Outre son action antiradicalaire, ce nutriment stimule le système immunitaire.

■Le chou rouge

Il doit sa couleur au lycopène, un antioxydant qui protège des radicaux libres.

Il favorise le bon état des artères, empêche la formation des plaques d'athérome et

COURGES, LES AMIES DE LA PROSTATE

Autrefois, on cultivait des dizaines de variétés de ces légumes. Puis, peu à peu, elles sont tombées dans l'oubli.

Aujourd'hui, on les redécouvre : le poti-marron, avec sa saveur de courge et de châtaigne ; la courge à spaghettis, dont les fibres se consomment comme des pâtes ; le pâtisson aux contours délicatement ourlés de festons blancs...

Ils sont pauvres en calories et on peut les accommoder de mille façons, car leur chair est assez fade. Cela pourrait être suffisant pour en faire une base nutritionnelle, mais ces cucurbitacées ont bien d'autres qualités...

■ Bêta-carotène et alpha-carotène

La principale : elles constituent un bouclier de protection exceptionnel contre les risques de cancer de la prostate.

On attribue cette action à leur richesse non seulement en bêta-carotène, mais aussi en alpha-carotène. Les actions de ces deux précurseurs de la précieuse vitamine A se complètent parfaitement.

Les graines des courges contiennent aussi d'autres substances anticancéreuses. À tel point qu'on en tire un extrait conditionné sous forme de complément alimentaire, que l'on peut consommer en prévention du risque de cancer prostatique. On tire aussi une huile des pépins de la courge, qui possède des vertus similaires.

■ Une huile délicieuse

Les graines de courge donnent, lorsqu'on les presse, une huile très épaisse, vert sombre, très parfumée, très utilisée dans la cuisine des pays germaniques.

Son délicat fumet de pain grillé rehausse agréablement les pommes de terre bouillies, les salades vertes, et même les salades d'oignons doux.

COURGETTES, DE LA VITAMINE C ET DE L'EAU

Sa principale qualité réside dans son faible apport calorique : seulement 17 calories pour 100 g. Comme on y trouve peu de sodium et beaucoup plus de potassium, elle accélère l'élimination rénale et fait baisser légèrement la tension artérielle.

■Piège à cholestérol
Comme l'aubergine, elle contient des fibres qui piègent le cholestérol et régulent l'absorption des sucres. Elle ne renferme pas beaucoup de vitamines et de minéraux, à part de la vitamine C qui restera d'autant plus disponible que vous éviterez de la faire cuire. Les jeunes courgettes, tranchées en très fines lamelles, font de délicieuses salades d'été. Sinon, préférez la cuisson à la vapeur.

■Faites-vous une fleur
N'oubliez pas les fleurs de courgettes ! Elles sont délicieuses, crues parsemées sur une salade ou cuites, remplies de mozzarelle et rapidement chauffées à la poêle.

ÉPINARDS, LE TONUS EN FEUILLES

On leur a attribué de nombreuses qualités, notamment à cause d'une image qui a hanté la mémoire de nombreux enfants : Popeye tirait sa force légendaire des épinards qu'il mangeait en quantité, réputation que les épinards doivent à une erreur ! Non seulement ils renferment beaucoup moins de fer qu'on ne le croit (à peine 2,5 mg pour 100 g) mais celui-ci est difficilement assimilable par l'organisme. Un comble ! Cela ne veut pas dire que les épinards n'ont aucune valeur nutritionnelle, au contraire...

■Antifatigue et laxatif
Les épinards sont l'un des végétaux qui apportent le plus de nutriments variés pour un apport calorique faible, à peine 20 calories pour 100 g ! mais des vitamines et des minéraux comme s'il en pleuvait... Pour un légume de couleur verte, ils ont un taux de bêta-carotène exceptionnel. Ils jouent donc un rôle antioxydant majeur. Ils apportent aussi beaucoup de minéraux, ce qui leur permet de combattre la fatigue et la déminéralisation. Leurs fibres (3 g pour 100 g) ont une action drainante sur le tube digestif qui les rend naturellement laxatives.

■Quelques précautions
Mais attention : les épinards contiennent beaucoup d'acide oxalique et d'acide urique (respectivement 500 mg et 70 mg pour 100 g). Ils sont donc déconseillés aux personnes ayant des calculs rénaux.
Enfin, ils ont la fâcheuse faculté de concentrer les nitrates dans leurs cellules. Ils doivent donc être consommés frais et achetés bio de préférence. N'oubliez pas que vous pouvez manger les épinards crus en salade : c'est délicieux et vous serez certain d'absorber tous les nutriments qu'ils contiennent, sans aucune déperdition due à la cuisson.

FENOUIL, DIGESTION ASSURÉE

Voilà un légume méconnu ! Pourtant, il est délicieux et bourré de qualités nutritionnelles. Comme les autres légumes d'été, il est riche en eau et en fibres. Il est peu calorique et calme rapidement l'appétit. Cependant il contient beaucoup plus de minéraux, ce qui le rend efficace pour lutter contre la fatigue et même l'anémie. Il facilite la digestion des plats lourds et aide à éviter les ballonnements digestifs. Il est à la fois diurétique (grâce à sa teneur en potassium) et légèrement laxatif (grâce à ses fibres). Enfin, il est d'un usage simple : on peut le manger cru, en salade, à condition de le choisir bien tendre. On peut aussi le faire cuire à la vapeur. Il se marie bien avec les autres saveurs végétales.

■ Prenez-en de la graine
Ses graines sont un condiment très apprécié. Leur saveur anisée fait merveille sur les poissons grillés ou les viandes blanches. On peut aussi les utiliser, moulues, pour relever la saveur des salades ou des légumes cuits.

LENTILLES, LA "VIANDE" VÉGÉTALE

Comme les haricots secs, les pois chiches, les fèves…, les lentilles constituent un excellent plat d'hiver.
Riches en glucides lents, qui passent progressivement dans le sang, elles apportent de l'énergie pendant un laps de temps assez long. Elles contiennent aussi un assortiment important de minéraux qui reminéralisent l'organisme, notamment du fer, du calcium et surtout du phosphore.
Elles sont riches en fibres, grâce auxquelles les lentilles contribuent à diminuer le taux de cholestérol sanguin, abaissant ainsi le risque de maladies cardio-vasculaires et améliorant l'état des artères.

■ Mangez-les avec du riz
Enfin, les lentilles contiennent une grande quantité de protéines végétales. Cependant, pour en profiter, il faut que vous veilliez à les associer à une céréale. Du riz, par exemple, comme le font les Indiens. La raison : les protéines végétales sont incomplètes, il leur manque quelques acides aminés essentiels. Pour les utiliser, l'organisme a donc besoin d'aller puiser ailleurs cet élément manquant ce qu'il fait notamment dans les céréales.
L'association riz-lentilles, couscous-lentilles ou maïs-lentilles est une alternative à la viande pour tous ceux qui n'en mangent pas, ou très peu.

NAVET, DES OS SOLIDES

Ce légume d'hiver est vraiment très peu énergétique : seulement 15 calories pour 100 g de navet cuit ! Vous pouvez donc en user et en abuser lorsque vous faites une cure minceur.

■ Cru ou à l'étouffée

Le navet est moins intéressant que ses compagnons d'hiver sur le plan antioxydant, car sa teneur en vitamines est moindre. Mais il contient plus de minéraux, ce qui en fait un excellent reminéralisant qui renforce l'état du squelette et des articulations. Essayez de le manger cru, mariné dans du citron, comme le font les Libanais : il conservera ainsi le peu de vitamine C qu'il contient, ajoutée à celle du citron.
Le navet est un légume d'accompagnement mésestimé... Des petits navets à l'étouffée sont délicieux avec les viandes.

■ Recette

Côtes d'agneau aux navets

POUR 6 PERSONNES

1. Épluchez un kilo de petits navets, coupez-les en dés et mettez-les à cuire à la poële dans un peu d'huile d'olive.
2. Salez, poivrez, ajoutez une cuillerée à soupe de cumin moulu, une cuillerée à café de gingembre en poudre et deux cuillerées à soupe d'eau. Couvrez et laissez cuire à feu très doux pendant une demi-heure.
3. Dans une poêle, faites dorer deux côtes d'agneau par personne. Servez-les immédiatement, accompagnées des navets.

OIGNON, CONTRE LES INFECTIONS

Il fait partie de la même famille que la ciboulette, mais aussi que le poireau. Il tire son odeur forte, parfois désagréable, de sa teneur très élevée en soufre. C'est ce même soufre qui fait piquer les yeux quand on l'épluche. Mais il contient bien d'autres nutriments : des vitamines, des minéraux, et même des substances rares comme la quercétine. C'est même l'une des meilleures sources végétales de sélénium, un grand antioxydant.

■ Bon pour les artères

Une étude a été menée en Finlande pendant plus de vingt ans. On a observé plusieurs populations et corrélé le taux de maladies cardio-vasculaires et l'alimentation. Un des groupes mangeait beaucoup d'oignons.

■ Recette

Salade d'oignons aux dattes

POUR 6 PERSONNES : 1 kg d'oignons rouges et 500 g de dattes séchées.

1. Épluchez les oignons
et coupez-les en fines rondelles.

2. Dénoyautez les dattes et coupez-les en deux.

3. Dans un saladier, mélangez 3 cuillerées d'huile de sésame, une cuillerée d'huile de noisette et une cuillerée d'huile d'argan. Ajoutez-y deux cuillerées de vinaigre balsamique, du sel, du poivre, une petite cuillerée de gingembre moulu et une pincée de piment de Cayenne. Ajoutez les oignons et les dattes.

4. Mettez au frais pendant une demi-heure avant de servir.

Nous devrions tous manger des oignons tous les jours : crus ou cuits, frais ou secs, blancs ou rouges. L'oignon est un ami fidèle que nous ne devrions jamais bouder. Il fait du bien à nos artères, à nos os, à nos articulations... En même temps, il fait du mal aux virus et aux bactéries !

C'est celui qui a montré le taux d'infarctus le plus faible.

C'est la quercétine qui contribue à faire baisser le taux de mauvais cholestérol et qui protège les artères contre les attaques des radicaux libres qui accélèrent la formation des plaques d'athérome.

■ Bon pour les articulations

Comme il est légèrement diurétique, l'oignon aide le corps à se débarrasser de ses toxines. Le corps, donc... les articulations ! Les personnes sujettes à l'arthrite ont intérêt plus encore que les autres à manger régulièrement des oignons. Et comme il est reminéralisant, il contribue à l'entretien de l'ossature générale. Il est également antibactérien.

Autrefois, on recommandait de mettre un demi-oignon sur les panaris pour les faire disparaître rapidement ! Cette utilisation était fondée, car il possède des vertus désinfectantes. On l'utilise encore aujourd'hui pour accompagner les traitements anti-infectieux.

Enfin, l'oignon améliore les digestions difficiles, à condition de ne pas être cuit dans trop de matières grasses. D'ailleurs, pour profiter de ses bienfaits, il vaut mieux le consommer cru !

■ Blanc, rouge, rose...

Certaines variétés d'oignons sont trop fortes au goût pour les consommer crues, mais d'autres s'y prêtent bien, comme l'oignon rouge, plus doux, ou l'oignon rose, plus acidulé.

Au printemps et en été, n'oubliez pas les petits bouquets d'oignons frais, délicieux ciselés dans les salades.

PATATE DOUCE, IGNAME, VITAMINES EXOTIQUES

La catégorie des légumes racines regroupe des végétaux un brin exotiques auxquels on ne pense pas toujours. Pourtant, ils ont des qualités nutritionnelles étonnantes.

La patate douce, par exemple, contient en grande quantité les trois vitamines antioxydantes majeures : A, C et E. C'est un excellent protecteur cardio-vasculaire.

Elle protège aussi les cellules des effets du vieillissement. Elle est assez calorique pour un légume (87 calories pour 100 g), mais elle provoque une satiété rapide et contient surtout des sucres lents qui fournissent de l'énergie.

Les ignames, outre un effet décontractant musculaire, contiennent des précurseurs végétaux de la progestérone. C'est avec eux que l'on a fabriqué les premières pilules contraceptives. Aujourd'hui, on trouve des extraits destinés à soulager les troubles de la ménopause. Hélas, les plus riches en progestérone sont inconsommables !

PIMENT, L'ANTIMICROBE

Certains piments mettent la bouche en feu, alors que d'autres relèvent simplement la saveur des plats fades. Les plus petits, comme les langues d'oiseau, sont souvent les plus forts.

Ce goût prononcé vient d'une substance, la capsaïcine, présente en quantité variable. D'après des études récentes, elle protége-rait l'organisme contre les méfaits de certaines substances cancérigènes.

■ Sur la peau,

Appliquée sur la peau, elle a un effet natu-rellement anesthésiant. La capsaïcine stimule aussi les défenses de l'organisme contre les infections digestives. Enfin, contrairement aux apparences, elle n'irrite pas l'estomac, au contraire, des études ont montré que le piment améliore l'état de la paroi stomacale et limite le risque de brûlures et même d'ulcère gastro-duodénal.

POIVRON, LE LÉGUME MINCEUR

Les gros poivrons doux que l'on trouve sur les marchés appartiennent tous à la même variété. C'est le degré de maturité qui leur donne leur couleur rouge, jaune ou verte. Plus les poivrons sont rouges, plus ils contiennent certaines vitamines, notamment le bêta-carotène : on en trouve 3,5 mg dans 100 g de poivron rouge, 1,5 mg dans du jaune et seulement 0,5 mg dans du vert. Il a des vertus antioxydan-tes, protectrices du système cardio-vasculaire.
Très riche en eau, il est peu calorique et contient des fib-res qui lui donnent, à lui aussi, un fort pouvoir de satiété. Certaines personnes le digèrent mal en raison de sa peau un peu épaisse. Dans ce cas, il vaut mieux l'éplucher, ce qui est difficile à cru !

■ L'éplucher facilement

Pour l'éplucher facilement, mettez-le à four doux, nature, pendant une demi-heure. Puis sortez-le et enveloppez-le dans du papier journal. Laissez refroidir. La peau s'enlève alors très facilement.

POMME DE TERRE, DE L'ÉNERGIE À REVENDRE

Depuis que Parmentier l'a introduite en Europe, elle a fait une belle carrière dans nos assiettes. À certaines périodes, elle a constitué la base de l'alimentation. Il faut dire qu'elle ne manque pas de nutriments : vitamine C, phosphore, magnésium, potassium...

Les pommes de terre ont mauvaise réputation auprès des candidats à la minceur. C'est injuste : dans 100 g de pommes de terre, il y a seulement 80 calories. Avec deux belles pommes de terre vapeur, assaisonnées d'un filet d'huile d'olive, on peut se caler l'estomac pour un apport calorique raisonnable. Les pommes de terre apportent des sucres lents de très bonne qualité, qui passent dans le sang progressivement et donnent de l'énergie longtemps.

■Attention aux yeux !

Mais si vous les faites frire, vos 100 g de pommes de terre vont grimper à 300 calories. Et si vous vous ruez sur 100 g de chips, ce sont 500 à 600 calories que vous allez ingérer. Une sacrée différence ! Préférez donc les pommes de terre cuites à la vapeur ou à l'eau, mais ne les pelez qu'après la cuisson pour préserver les vitamines et les minéraux. Attention à celles qui ont des yeux ou des germes : elles risquent de contenir un alcaloïde toxique, la solanine, qui peut provoquer des troubles.

■Anti-inflammatoire et cicatrisante

Outre son apport énergétique, la pomme de terre est apaisante pour le tube digestif, dont elle calme les irritations et les inflammations. Ses nombreux minéraux la rendent reminéralisante. Elle renforce les os et soulage les inflammations articulaires de l'arthrite. Enfin, le jus de pomme de terre cru, utilisé traditionnellement pour cicatriser les blessures, est légèrement diurétique. Comme il n'est pas très bon, mélangez-le à un autre jus plus goûteux.

■Recette

Pommes de terre tièdes aux poissons fumés

POUR 6 PERSONNES : 12 pommes de terre, un oignon, 12 tranches de poissons fumés (thon, saumon, truite…).

1. Faites cuire les pommes de terre à la vapeur sans les peler. Découpez le poisson en lamelles.
2. Préparez une sauce avec 4 cuillerées d'huile de tournesol, 2 cuillerées de vinaigre de cidre et une pointe de moutarde. Salez, poivrez, ajoutez les poissons, l'oignon en fines rondelles et un bouquet d'aneth ciselé.
3. Pelez les pommes de terre et découpez-les en cubes et ajoutez au mélange. Servez tiède.

SALADES VERTES, LA JEUNESSE DES CELLULES

On les prend souvent pour un simple élément de décoration : des feuilles posées au bord d'un plat ou une pincée pour "faire glisser" un plateau de fromages après un repas déjà copieux. Pourtant, les salades vertes sont de vrais aliments ! Elles constituent une bonne source de vitamines anti-oxydantes (A, C et E) et de potassium. Certaines, moins courantes, méritent aussi d'être invitées à notre table.

■ Le cresson

Il contient beaucoup de bêta-carotène, ce qui lui confère une action protectrice contre certains cancers, notamment celui du poumon. Cette action est renforcée par la présence d'enzymes qui s'opposent aux mutations de l'ADN dans les cellules.
Il contient aussi du calcium, du fer et de la vitamine B9.

Laitue, scarole, frisée, mâche... sont les salades les plus consommées en France. La laitue est la plus riche en bêta-carotène et en vitamine C. Les salades auréolées de rouge contiennent des anthocyanidines aux vertus antioxydantes. Ne les oubliez pas.

■ Recette

Endives aux 3 fromages

POUR 6 PERSONNES :
6 endives moyennes, 80 g de roquefort, 80 g de mozzarella et 80 g de comté. Rincez les endives, nettoyez-les et coupez-les en fines rondelles. Dans un saladier, préparez une sauce avec 4 cuillerées à soupe d'huile de noix, 1 cuillerée à soupe de vinaigre de noix et un trait de sauce au soja.
Ajoutez un bouquet de fines herbes ciselées (ciboulette, persil, coriandre), du sel, du poivre. Versez une poignée de pignons, puis les endives et le fromage découpé en petits dés. Remuez et servez frais.

■ L'endive

Elle est riche en fer, plus facilement assimilable que celui des épinards. Elle combat l'anémie et la fatigue. Elle présente un bon taux de vitamines antioxydantes.
Certaines personnes n'apprécient pas son amertume, qui peut cependant être atténuée si on la mélange à des saveurs plus sucrées. Mélangée à des dates, en salade, elle est délicieuse.

■ Le pissenlit

C'est un formidable draineur du foie et des reins. Il stimule l'action de la vésicule biliaire et améliore globalement la digestion.
Il aide l'organisme à se débarrasser de ses toxines. Comme il est assez riche en minéraux, il est en plus reminéralisant et anti-fatigue.
Il contient de grandes quantités de carotène, ainsi que de la vitamine C et du calcium, phosphore, fer et potassium.

■ Le pourpier

Cette salade, que nous consommons peu en France, est l'une des bases du célèbre régime crétois. Elle contient une quantité impressionnante d'acide linolénique, un protecteur exceptionnel des artères contre le mauvais cholestérol. Il est aussi sédatif et anti-inflammatoire. Si vous avez un jardin, n'hésitez pas à en semer, c'est délicieux.

SOJA, LE LÉGUME DES FEMMES

Le soja fait partie de la famille des légumineuses. Dans les pays d'Asie, c'est une base alimentaire. Au Japon et en Chine, notamment, où on le consomme aussi bien cru que cuit.
On en tire une farine qui sert à fabriquer une sorte de pâte, le tofu, que l'on cuisine ensuite.
Ici, on trouve surtout des haricots de soja germés, que l'on peut préparer crus, en salades, ou cuits, en accompagnement des viandes et des poissons.
Le soja se marie bien avec les autres légumes.

On s'est intéressé au soja en constatant que les femmes japonaises et chinoises avaient beaucoup moins de symptômes dus à la ménopause et qu'elles étaient moins sujettes au cancer du sein que les femmes occidentales. De nombreuses études sont venues confirmer cette constatation et ont fait clairement le lien avec la consommation quotidienne de soja.

Les haricots de soja contiennent surtout du calcium et beaucoup de potassium. Le soja est très riche en oligoéléments : cuivre, zinc, iode... Ses protéines végétales nourrissent les muscles, et ses acides gras insaturés protègent les artères.

Magrets de canard au soja

POUR 6 PERSONNES : 3 magrets de canard, 100 g de champignons de Paris et 100 g de germes de soja.
1. Découpez les magrets en tranches. Faites-les revenir rapidement dans une poêle sans matière grasse. Réservez.
2. Dans la même poêle, mettez deux gousses d'ail écrasées, un oignon et une carotte coupés en rondelles. Salez, poivrez et laissez cuire 3 minutes. Ajoutez les champignons émincés et le canard, arrosez avec un peu de sauce de soja et laissez cuire 3 minutes.
3. Ajoutez les germes de soja rincés. Faites cuire à couvert pendant 3 minutes.

soja suffit à faire taire les principaux symptômes de la ménopause (notamment les bouffées de chaleur) et réduit le risque d'ostéoporose. Le soja semble aussi protéger les femmes contre les risques de cancers hormono-dépendants, surtout celui du sein et celui du col de l'utérus.

■une mine de phyto-hormones

Les haricots de soja contiennent une grande quantité de phyto-œstrogènes. Ces constituants ont une structure très proche des œstrogènes humains, et nos organismes peuvent les utiliser lorsque la quantité d'hormones produite par le corps baisse. Plusieurs études ont montré qu'une alimentation apportant chaque jour 30 à 40 g de

■Lécithine et protéines

Ce n'est pas tout. Le soja contient aussi de la lécithine, qui piège le cholestérol.
Il protège les artères contre les risques cardio-vasculaires grâce à sa forte teneur en acides gras essentiels. Enfin, c'est le seul végétal qui apporte des protéines complètes. Il est donc essentiel pour compenser les carences protéiques chez les végétariens et les personnes qui n'aiment pas la viande ni le poisson.

TOMATE, L'ANTIFATIGUE MINCEUR

C'est l'un des légumes les plus consommés dans le monde ! La tomate tire sa popularité de son goût et de la multitude de préparations que l'on peut réaliser avec elle. Crue ou cuite, elle a des vertus différentes car certains composants sont libérés par la cuisson.

Elle fait le bonheur des yeux sur les marchés de l'été. Elle se marie à toutes les saveurs, ou presque. On peut la manger froide ou chaude, en faire des sauces et même des confitures...

■ Le lycopène aime la chaleur

De nombreuses études ont mis en lumière une relation entre la consommation régulière de tomate et la réduction du risque de cancer. Cette action serait due à la présence de vitamines antioxydantes (A, C et E), et aussi de lycopène. Des substances qui jouent aussi un rôle protecteur contre le vieillissement cellulaire en général, et celui de la peau en particulier.

Ce lycopène est une substance antioxydante majeure, que les chercheurs ont découverte récemment. Elle possède une particularité : contrairement aux vitamines et aux minéraux, qui ont tous tendance à s'abîmer avec la chaleur, le lycopène est d'autant mieux assimilable par l'organisme qu'il est cuit.

Une bonne sauce tomate ou une pizza en apportent plus à l'organisme qu'une salade ... de tomates !

■ Le plein de minéraux

Crue, la tomate possède d'autres vertus, plus proches de celles des autres légumes d'été : elle est rafraîchissante car elle contient plus de 90 % d'eau.

Elle contient un éventail important de vitamines et de minéraux, même si c'est parfois en quantité limitée : magnésium, potassium, calcium, fer, zinc, vitamine B9...

Cela en fait un légume antifatigue et reminéralisant, très utile pour les personnes qui suivent un régime amincissant. En effet la tomate, très peu calorique, peut être consommée en quantité, sous toutes ses formes, sans risquer de contrarier la balance ! On peut même en faire des sorbets.

Riz aux tomates et au basilic

POUR 6 PERSONNES :

6 tomates et un bouquet de basilic.

1. Faites cuire un bol de riz sauvage à l'eau. Égouttez et laissez refroidir.

2. Dans un saladier, mélangez quatre cuillerées d'huile d'olive, une de vinaigre de cidre et une petite cuillerée de vinaigre balsamique. Salez, poivrez et ajoutez une gousse d'ail écrasée.

3. Mettez-y les tomates, que vous aurez épépinées et découpées en petits dés d'un centimètre cube.

4. Ajoutez le riz froid, remuez bien et parsemez d'un beau bouquet de feuilles de basilic, finement ciselé. Servez frais.

Ses fibres la rendent légèrement laxative. Lorsqu'elle est crue, la tomate reste protectrice contre les radicaux libres grâce à sa forte teneur en vitamines antioxydantes (notamment la vitamine C) qui compensent, par leur présence intacte, l'assimilation plus faible du lycopène.

■Contre les coups de soleil

Enfin, une étude publiée récemment par le très sérieux *Journal of Nutrition* américain fait état d'un effet protecteur contre le soleil : 50 g de tomates par jour suffiraient à améliorer la résistance de l'épiderme aux agressions solaires. Ça tombe bien, puisque la tomate est un légume d'été... Il paraît même que la pulpe de tomate, appliquée sur la peau, calme les coups de soleil.

	VIEILLISSEMENT	PROBLÈMES DIGESTIFS	STRESS	PROBLÈMES CIRCULATOIRES	PROBLÈMES IMMUNITAIRES	DÉTOXICATION
ABRICOT		Améliore le transit et combat la constipation	Régularise l'humeur	Régularise la tension artérielle		
AGRUMES	Protègent contre les effets de l'âge	Accélèrent le transit			Renforcent les défenses	
AIL ET OIGNON				Anticholestérol, anti hypertension, protection des vaisseaux	Anti-infectieux Anticancers	
ARTICHAUT		Stimule la bile et combat la constipation chronique				Draine le foie
ASPERGE				Fait baisser la pression artérielle		Diurétique naturel, combat la rétention d'eau
CAROTTE	Retarde les effets de l'âge, notamment pour les yeux et la peau	Calme les diarrhées		Diminue le taux de cholestérol		
CHAMPIGNONS					Renforcent les défenses et préviennent les infections	
CHOUX	Protègent contre les effets de l'âge			Diminuent les risques cardio-vasculaires	Protègent contre certains cancers	
COURGES						
ÉPINARD	Protègent contre les effets de l'âge					Drainent le tube digestif
FIGUES				Régularisent le transit et combattent la constipation		
FRAISES ET FRUITS ROUGES	Protègent contre les effets de l'âge					Les fraises épurent l'organisme, surtout le foie
FRUITS SECS			Améliorent la mémoire et calment la nervosité		Renforcent les défenses	
PÊCHES	Retardent les effets de l'âge					
POMMES		Antidiarrhée : crues, Laxatives : cuites		Anticholestérol efficace		
POMMES DE TERRE						
PRUNEAUX		Laxatif doux et efficace		Font baisser la pression artérielle		
RAISIN	Des antioxydants dans ses pépins					Diurétique puissant, épurateur rénal
SOJA					Prévient les cancers hormonaux dépendants	
TOMATE	Protège contre les effets de l'âge					Légèrement diurétique

FATIGUE	SURPOIDS ET OBÉSITÉ	PROBLÈMES DE PEAU	TROUBLES ARTICULAIRES	TROUBLES FÉMININS	TROUBLES MASCULINS
Donne du tonus à l'organisme					
			Diminue le cholestérol		
Protège contre l'anémie et donne de l'énergie	Faibles en calorie, crus : fort pouvoir de satiété				
	Très peu caloriques				Protègent contre le cancer de la prostate
Donnent du tonus			Reminéralisants		
Donnent du tonus			Renforcent les os et préviennent l'ostéoporose		
Donnent du tonus à l'organisme					
	Le goûter idéal		Améliorent l'état des os et des ligaments		
		Donnent de l'éclat au teint, préviennent les rides			
	Procurent une satiété rapide et durable				
Donnent de l'énergie pendant longtemps		Anti-inflammatoire et cicatrisantes	Calment l'inflammation et la douleur reminéralisantes		
Combattent l'anémie					
Diffuse son énergie lentement					
	Peu calorique et surtout très peu gras			Troubles de la ménopause, anti-ostéoporose	
	Très peu calorique	Protège contre le soleil, retarde l'apparition des rides			

77

	SYSTÈME IMMUNITAIRE	SYSTÈME HORMONAL	CŒUR ET ARTÈRES	SQUELETTE ET MUSCLES	PEAU	REINS ET SYSTÈME URINAIRE
VITAMINE A et BÊTA-CAROTÈNE	Prévient certains cancers				Cicatrisation, antivieillissement, protection solaire	
VITAMINE C	Anti-infection, anti-allergie		Anticholestérol Bon état des artères	Bon état des os, muscles, tendons, ligaments, cartilage...	Prévient les rides, accélère la cicatrisation	
VITAMINE D			Régule le rythme cardiaque	Favorise la fixation du calcium - Prévient l'ostéoporose		
VITAMINE E			Entretient le bon état des parois		Retarde les effets du vieillissement	
VITAMINE B1				Favorise le bon état des muscles		
VITAMINE B2	Prévient certains cancers				Améliore l'état de la peau, des ongles et des cheveux	
VITAMINE B3		Participe à la sécrétion des hormones	Anticholestérol Antihypertension			
VITAMINE B5	Prévient les dépressions immunitaire et les infections				Bon état de la peau, cheveux, ongles, muqueuses	
VITAMINE B6	Améliore la production des anticorps			Favorise le renouvellement musculaire et prévient les crampes		
VITAMINE B8					Accélère la guérison des maladies de peau	
VITAMINE B9			Indispensable à la fabrication des globules rouges			
VITAMINE B12						
CALCIUM			Régularise le rythme cardiaque	Indispensable à la solidité des os et des dents		
CUIVRE	Diminue les réactions allergiques, lutte contre les infections					
FER			Indispensable à la production des globules rouges			
MAGNÉSIUM			Régularise le rythme cardiaque	Fixe le calcium dans les os, anticrampe		
PHOSPHORE				Indispensable au bon état des os		
POTASSIUM			Régule la pression artérielle	S'oppose aux contractions musculaires intempestives		Régule la teneur en eau, stimule les reins
SÉLÉNIUM	Améliore la réponse face aux infections		Favorise le bon état des vaisseaux		Favorise le bon état de la peau et des cheveux	
ZINC	Favorise la réponse immunitaire					

SYSTÈME NERVEUX ET CERVEAU	SYSTÈME GÉNITAL ET REPRODUCTION	SYSTÈME DIGESTIF	SYSTÈME RESPIRATOIRE	ORGANES SENSORIELS	MÉTABOLISME GÉNÉRAL
				Indispensable à la vision	Prévient le vieillissement cellulaire
			Neutralise les effets du tabac		Prévient le vieillissement cellulaire - fournit de l'énergie
Favorise son bon fonctionnement global					Prévient le vieillissement cellulaire
	Prévient l'impuissance et améliore la fertilité				
Améliore la mémoire et les capacités intellectuelles					Métabolisme des protéines, glucides et lipides
Améliore l'état général				Prévient la cataracte	Indispensable à la gestion des protéines, glucides et lipides
Améliore les échanges entre les cellules nerveuses		Améliore globalement la digestion - prévient les diarrhées			Favorise de bons échanges cellulaires
Améliore le fonctionnement du système nerveux central	Favorise la fertilité				
Participe à la fabrication des neurotransmetteurs					
					Métabolisme des protéines, glucides et lipides
Favorise la production des neurotransmetteurs	Prévient certaines malformations du fœtus				Favorise le bon état des cellules
Favorise le bon état des cellules nerveuses					Indispensable à la reproduction cellulaire
Favorise les échanges entre les cellules nerveuses					
Active le fonctionnement cérébral					Donne de l'énergie aux cellules, antioxydant
Participe à la production des neurotransmetteurs			Favorise le bon état des poumons		Transporte l'oxygène jusqu'aux cellules
Participe au passage de l'influx nerveux entre les cellules					
Participe à la formation de la myéline qui entoure les nerfs					Donne de l'énergie aux cellules
					Participe à l'absorption des protéines
			Protège contre les effets du tabac		Antivieillissement des cellules
	Favorise la fertilité et stimule la sexualité masculine	Indispensable au métabolisme digestif		Stimule vue, ouie et odorat	Protège contre les effets du vieillissement

Idées bien-être

Alimentation vitaminée

Conception et réalisation : Natura Santé
pour Maxi-Livres.
sous la direction de Salvador Soldevila
Auteur : Claude Savonna
Conception graphique : Gilbert Falissard.
Mise en pages : Pascal Guichard et Agnès Chargui.
Révision des textes : Jack Dust.

Sous la direction de la Centrale d'achats Maxi-Livres
Direction : Alexandre Falco
Responsable des publications : Françoise Orlando-Trouvé
Responsable de l'ouvrage : Stéphanie Bogdanowicz

ISBN : 2743454075

Crédits photographiques :
PhotoAlto (Pierre Bourrier, John Dowland, Jean-Claude Marlaud, Corinne Malet,
Isabelle Rozenbaum, Frédéric Cirou, Michel Bussy) – Photodisc – John Foxx Images
– Autor's Images – Imageshop – Goodshoot – Créative collection –

Imprimé et relié par Eurolitho S.p.A., Italie.